УБИТЬ
ПЕТРА ВЕЛИКОГО

Евгений СУХОВ

УБИТЬ ПЕТРА ВЕЛИКОГО

МОСКВА

2008

УДК 82-3
ББК 84(2Рос-Рус)6-4
С 91

Оформление *Н. Никоновой*

Сухов Е.
С 91   Убить Петра Великого: Роман / Евгений Сухов. —
М.: Эксмо, 2008. — 320 с. — (Я — вор в законе).

ISBN 978-5-699-27848-0

Невиданное до сих пор Великое посольство отправилось из России в Европу. Во главе его — сам государь, выдающий себя за простого бомбардира Петра Михайлова. Никто не признает в нем русского царя. Проводит бомбардир на корабельных верфях весь день, работает топором, как обычный плотник, а по вечерам пьянствует да с девками гуляет. Но европейские властители видят в Петре сильную угрозу. И готовят сразу два заговора. Шведский король Карл XII надеется на помощь графини Корф, которая должна подослать к Петру наемного убийцу. А французский принц де Конти нанимает пирата, который должен уничтожить русский фрегат вместе с царем. Но под счастливой звездой родился Петр...

УДК 82-3
ББК 84(2Рос-Рус)6-4

Часть I

ПРЕОБРАЖЕНСКИЙ СЫСК

Глава 1

ЕГО МОЖНО ПОДКУПИТЬ?

Князь Федор Юрьевич Ромодановский был хмурым, как всегда в трезвом состоянии. Покосившись на Егорку, продолжавшего стоять в полупоклоне у дверей, недовольно пробурчал:

— Проходи! Чего пнем застыл? Вот сюда оседай, — указал он на табурет.

Егорка взглянул на грубый табурет, на котором несколько минут назад сиживал колодник с рваными ноздрями, и, будто бы опасаясь ободрать седалище о серую неприглядную занозистую поверхность, присел на самый краешек. В бревенчатую стену было вбито большое металлическое кольцо, к которому прикрепляли острожников.

В какой-то момент Егорка почувствовал себя неуютно под тяжеловатым взглядом Федора Юрьевича.

— Углядел?

— А то как же! — почти обиделся Егор. — Поначалу он вместе со всеми в обозе ехал, а когда санный поезд с горы стал спускаться, так он в город отправился.

— К послу Кинэну? — предположил Ромодановский, взирая на исправника с прежней неучтивостью.

— К нему, Федор Юрьевич, — подхватил охотно Егор. — Как выехал в Троицкий переулок, так сначала осмотрелся, не наблюдает ли кто за ним, а потом в дом вошел.

— Вот оно как! И сколько же он там пробыл?

— Думаю, что с полчаса, — отвечал Егорка, призадумавшись. — Когда в горнице оказался, достал из-под кафтана грамоту и послу отдал. О чем-то переговорил и скоренько вышел. Федор Юрьевич, милосерден ты! Надо бы на дыбу этого шведа, покудова он смуту в Москве не посеял!

— Матвей! — позвал князь Ромодановский.

— Я здесь, князь! — предстал перед Федором Юрьевичем палач.

— Сказано же было, что холодно в палатах! Дровишек надобно подбросить, — кивнул он в сторону остывающей печи, — а то у меня аж иней на ушах.

Заплечных дел мастер чуть подался вперед, как если бы и вправду хотел рассмотреть заснеженные уши князя Ромодановского.

— Это я мигом, Федор Юрьевич, — распахнул дверцу Матвей. — Уголечков-то полным-полно, бросить дровишек, так они сами распалятся!

Подле печи аккуратной стопкой была сложена невысокая поленница. Здесь же, в самом углу, стояла кочерга. Подхватив ее, Матвей усердно пошуровал в печи, распаляя огонь, а когда в комнату дохнуло жаром, взял березовые дрова и швырнул в распахнутый зев печи, не без удовольствия наблюдая за тем, как занимается огнем ссохшаяся кора.

— Сейчас теплынь грянет, Федор Юрьевич, хоть порты снимай! Хе-хе-хе!

— Поговори мне! — пригрозил пальцем судья Преображенского приказа. — Ладно, поди прочь, не до тебя.

Отерев о полы рубахи испачканные ладони, палач ушел так же незаметно, как и появился. Несмотря на свой немалый рост, Матвей умел быть неприметным. И только во время прилюдной казни, подпитываясь тысячами взоров зрителей, обращенных на помост, позволял себе становиться главным действующим лицом.

Дверь неслышно закрылась. На двор густыми хлопьями падал снег, а солдаты, одетые в овчинные тулупы, несли службу у парадного крыльца, то и дело стряхивая с мохнатых воротников налипший снежок. Дрова потрескивали, наполняя комнату теплом.

— На дыбу, говоришь, — мрачнея, произнес Ромодановский. — Только как же его брать, ежели он посол! А потом, если мы с бароном Кинэном лихо учиним, так они нашего Романа Артемьевича Воронцова в темнице сгноят. Тут думать надо, — протянул невесело князь Ромодановский. — Ты вот что, Егор, глаз с него не спускай! Докладывай обо всем, что в доме творится.

— Сделаю, Федор Юрьевич, — охотно отозвался исправник, заглядывая стольнику в лицо.

— Кто приходит, кто выходит, как долго они у него сиживают. Девка у тебя есть? — неожиданно спросил Ромодановский.

— Машенька у меня нареченная, — зарделся Егор.

— Кто такая?

— С Лушков. Я ее сызмальства знаю.

— Дело хорошее, — вновь отчего-то насупился Федор Юрьевич. — А только для дела тебе не мешало бы со служанкой барона поближе сойтись. Видал я ее, знатная девка. Бедра — во! — растопырил он руки. — Девки падки на подарки. Купишь ей пряников, — сунув руку в карман, Ромодановский извлек горсть серебра. — Возьми... Ситца девке подберешь с цветами, да такого, чтобы понравился. На праздник! Они это ценят.

— Исполню, Федор Юрьевич, — с готовностью сгреб серебряные монеты Егор.

— Будешь расторопным, в дознаватели переведу, а еще шубу с моего плеча получишь. Она тебе великовата малость, но зато новая... Скорнякам скажешь, перешьют!

— Спасибо, благодетель, — расчувствовался Егорка.

— А теперь проваливай давай, письмо государю отписать надобно, пусть последят за лиходеем.

* * *

Пятница. День приемов. Через минуту должен подойти военный министр барон Клаузе с докладом об общем состоянии дел в Европе. Кроме того, от него можно получить немало новой информации о русском царе. Король Август не любил пятницу и часто перепоручал прием начальнику канцелярии, но в этот раз он решил послушать доклад.

Раздался сдержанный стук в дверь. Министр заявлялся в кабинет секунда в секунду.

— Что там известно про русского царя? — спросил король после того, как барон Клаузе разложил на столе свои бумаги.

— По Европе русский царь разъезжает инкогнито. Представляется Петром Михайловым и даже не откликается, если его называют как-то иначе. Во главе посольства стоит Франц Лефорт, швейцарец по происхождению. На Петра он имеет колоссальное влияние. По складу ума — типичный авантюрист. Образование получил начальное, но чрезвычайно умен, знает несколько языков.

— Какова цель посольства?

— Отыскать союзников против Турции. В прошлом году русские сумели отвоевать Азов и сейчас хотят закрепить успех.

— Неплохо было бы заполучить такого союзника, как Россия, в борьбе против Швеции.

— Похоже, что политические дела его совсем не интересуют. Он больше увлечен амурными делами.

— Он ухаживает за фрейлинами? — проявил интерес Август.

Министр скупо улыбнулся:

— Фрейлины требуют обхождения. Русский царь предпочитает действовать наскоком. Поэтому ему в основном приходится иметь дело со служанками и кухарками, которые не смеют отказать русскому царю. — Министр неожиданно рассмеялся, вспомнив нечто забавное. — Впрочем, был случай, когда он пытался добиться благосклонности одной саксонской крестьянки, невзирая на ее протесты. Он повалил ее в стог и хотел тотчас предаться амурным делам. Но из дома с косой в руках выскочил ее отец, и русскому царю пришлось ретироваться.

Курьезный случай рассмешил Августа:

— Ха-ха-ха! Хорошо, что русский царь хорошо бегает, а то саксонский крестьянин намял бы ему бока. Случаи с русским царем забавными анекдотами расходятся по всей Европе. Наши светские салоны изрядно заскучали, так что русский царь добавляет тему для разговоров. Что еще говорят о царе Петре?

— Он чрезвычайно неприхотлив в быту и в еде. Ведет себя, как простой мужик, одевается очень просто и дешево. Не любит носить украшений или каких-то отличительных знаков. По одежде его можно принять за обыкновенного слугу, если бы не вызывающие манеры, которые невольно бросаются в глаза. Кроме того, он выделяется среди прочих огромным ростом. Любит обедать среди прислуги. В его окружении почти не встретить родовитую знать, в основном он окружил себя мелкими дворянами.

— Однако он дальновиден. У мелкородных дворян нет столько спеси, сколько можно наблюдать у знати. Ими легче управлять. Мне нужен союз с Петром.

— Ваше величество, — распрямился министр, — мы делаем все возможное. Нам известно, что царевна Софья предпринимает шаги к тому, чтобы сместить царя с престола.

— А что царь Петр?

— Похоже, что он пока не знает об этом. Вместо себя на государстве он оставил князя Федора Ромодановского.

— Что это за человек?

— Он необычайно предан русскому царю.

— Его можно подкупить?

— Не думаю, — уверенно отвечал министр. — От царя он получает большое жалованье. Кроме того, Петр награждает его всевозможными милостями. Он имеет большие наделы с крепостными крестьянами

— Какие у него недостатки?

— Он имеет массу пороков, ваше величество. Он невежествен, жесток, едва ли не все свое время проводит в застенках. Любит сам допрашивать узников и пытать их. Но вместе с тем необычайно честен и очень предан Петру.

— Хорошо. Следите за каждым шагом русского царя и немедленно докладывайте мне о каждом его действии.

Министр Клаузе почтительно поклонился:

— Слушаюсь, ваше величество.

Глава 2

ГОСУДАРЬ, ТЕБЯ ХОТЯТ УБИТЬ

Курфюрст прусский в честь прибытия гостей организовал пышный прием, куда, кроме самого Петра и ближайших его приближенных, были приглашены наиболее именитые жители герцогства.

На Петра Алексеевича приходили смотреть, как на большую диковинку. Почти каждого восхищал гигантский рост царя, простота его в общении, а дам умиляла горячность, с которой русский государь рассказывал о премудростях плотницкого искусства. Причем каждую из них он непременно зазывал на верфь, где обещал продемонстрировать корабельное мастерство. Женщины закатывали глаза и млели только от одного прикосновения «герра Питера».

Особенно Петру приглянулась молоденькая фрейлина из окружения герцогини. Лицом белая, как снег, и с золотыми пушистыми волосами, она напомнила ему очаровательную Анну Монс. Странное дело — в великом посольстве Петр неожиданно позабыл не только о своих прежних возлюбленных, но даже о покинутой супруге.

Фрейлину невероятно забавляла неправильная немецкая речь царя, и она весело фыркала едва ли не на каждое государево слово. Дело складывалось к тому, что он в ближайшие минуты должен был увести ее в густоту тенистого сада, чтобы наедине с прелестной «пастушкой» постигнуть все премудрости «плотницкого мастерства».

В зал вошел озабоченный Меншиков. Отыскал взглядом среди шумного веселья Петра Алексеевича.

— Чего хотел? — невесело буркнул царь, не отрывая глаз от соблазнительной девицы.

— Государь, наедине бы поговорить.

— Что так? — смерив любимца неодобрительным взглядом, спросил самодержец.

В последнее время Алексашка досаждал невеселыми новостями. Широкая ладонь Петра уверенно опустилась на колено девушки.

— О слове и деле государеве говорить хотел...

— Она не понимает по-нашему.

Лицо девушки было бело-молочным, будто бы накрахмаленным. Внешне она напоминала нарядную куклу, какую можно приобрести на ярмарке.

А хороша, чертовка! Иноземные девки так и липнут к государю!

— Изменщик — окольничий Степан Глебов, как и отписано было князем Ромодановским.

— Вот оно как! — огорчился не на шутку Петр Алексеевич. — А я-то думал, наговоры. Что там?

— Мы тут его малость под пыткой допросили. Так он признался, что сам передал французам, будто бы ты морем надумал ехать.

— Зачем же это им надобно?

— Убить тебя хотят, государь, — тихо произнес Меншиков. — Не могут тебе простить того, что ты у них из-под носа Польское королевство увел.

Петр действовал решительно. Он уже давно не знал отказа в любовных потехах. Его ладонь бережно поглаживала девичье колено, после чего приподняла краешек платья.

— И как же они хотят меня убить? — подивился государь. — Я здесь, а Франция далеко.

— Вроде хотят пиратов нанять, чтобы судно твое потопить.

— Ишь ты, черти! — неожиданно развеселился Петр Алексеевич. — Не успокоились еще. Где этот плут?

— Мы его в каморке заперли, а к нему караул приставили. Что будем делать, государь?

Глянув на улыбающуюся девицу, вздохнул:

— Эх, Алексашка, не даешь ты мне с девками побаловаться. Посмотри, как на меня эта краля смотрит. — Широко улыбнувшись, продолжал: — Я ведь теперь почти неженатый, можно сказать. — Рука государя обхватила девичий стан. — Так что мне о государыне нужно подумать. Глядишь, она и царевной может стать. Знаешь, как ее величают?

— Не ведаю, государь.

— Гретхен! А мы крестим ее в православную веру и назовем, к примеру, Галиной, а то и Катькой! Так что ты, Алексашка, еще и кланяться ей будешь!

— Петр Алексеевич, — взмолился Алексашка Меншиков, — надо бы решить, что делать-то!

— Эх, Алексашка, никакого понимания не имеешь. Не даешь ты мне с девицей потолковать, а ведь я ее плотницкому делу хотел обучить и лавку для этого подходящую выбрал. — Поднявшись, продолжил: — Попрощаться мне с курфюрстом надобно, не сбегать же мне с бала, в мою честь устроенного.

Второй этаж заполнили музыканты. Задвигав стульями, расселись по своим местам. Под взмах коротенькой дирижерской палочки зазвучала музыка.

Приглашенные, разбившись на пары, принялись танцевать котильон. Мужчины были в парадной форме, в ботфортах и без шпор, на головах — накрахмаленные букли. И от особо ретивых кавалеров крахмал разлетался во все стороны, заставляя дам заходиться в аллергическом кашле.

Девушка перехватила ладонь государя.

— Кажись, она танцевать изволит, Петр Алексеевич.

— Гретхен, — промолвил Петр, — я ведь могу только гопака, да вот еще русского.

В самом центре зала в белых рейтузах и голубом камзоле выделялся прусский курфюрст. По грациозным па было заметно, что он преуспел не только в баталиях, но и в танцах. Его партнершей стала молоденькая фрейлина с невероятно милым лицом. Люстра в тысячу свечей позволяла беспристрастно фиксировать малейшее движение лицевого нерва. Длинные ресницы подрагивали, а румяна, намазанные скорее всего отварной свеклой, слегка поползли от пота, оставляя небольшие дорожки.

— Вот что, Алексашка, нам нужно музыкантов в Москву выписать. О, как играют! А наши-то скоморохи только в барабаны умеют стучать. От их потехи в голове гудит!

Смолкли последние аккорды. Проводив девушку до места, курфюрст направился к Петру.

— Кажется, ты заскучал, Питер?

— Что ты, Фридрих, разве в таком обществе и с такими дамами можно заскучать? — очень убедительно произнес царь. — Да вот только идти нужно.

Весь вид государя говорил о том, что для поднятия веселья не помешала бы пара сотен петард да салют на половину неба.

— Тогда в чем же дело? Оставайся еще.

— Ждут государственные дела.

— Мы так и не обсудили с тобой главное.

— Союз против Швеции?

— Вот именно. Против Карла XII. Наши армии могут быть хорошей прививкой против его могущества.

— С превеликим удовольствием, Фридрих, — произнес государь.

Курфюрсту очень импонировал этот простоватый плотник царского звания. Но что-то подсказывало ему, что Питер не так прост, как это могло показаться на первый взгляд.

— Только я вот что предлагаю, не будем подписывать никаких документов. Просто дадим слово соблюдать союзнические обязательства. Потому что наши слова значат куда больше всех этих подписей и печатей!

— Договорились, — пожал государь протянутую
руку. — Если Карл начинает войну с тобой, я вы-
ступаю против Швеции, если же Карл выступает
против России, то ты объявляешь ему войну.

— О да! — широко заулыбался курфюрст, по-
трясая протянутую руку.

С русским царем не будет особых проблем.

— Надеюсь, что мой уход не омрачит общего
праздника?

Герцог обезоруживающе улыбнулся, посмотрев
в конец зала. Фаворитка, окруженная поклонника-
ми, не скучала. Но все немедленно откланяются,
стоит ему только приблизиться.

— Позвольте мне проводить вас до двери.

Петр Алексеевич широко улыбнулся:

— Не утруждайте себя, курфюрст. Ведь я всего
лишь бомбардир Михайлов.

Фридрих весело рассмеялся:

— Ваше положение освобождает меня от многих официальных условностей.

С балкона на втором этаже вновь зазвучал сла-
женный оркестр. Веселье переходило во вторую фазу.

— Позвольте мне тогда с вами распрощаться.
Ведь дамы такие обидчивые.

Петр Алексеевич удалился. Улица встретила его
пронизывающим ветром. Застегнув камзол на все
пуговицы, поторопил поежившегося Меншикова:

— Ну чего рот раззявил?! Веди! Где он?

В многочисленном обозе посольства, состоя-
щем из нескольких сот слуг, ехало еще полдюжины
палачей. Так, на всякий случай... Полгода заплечных дел мастера харчевались за государев счет, и
вот сейчас в них настала нужда.

Явился Алексашка Меншиков. Не церемонясь, поскидывал с постелей разнеживавшихся палачей и во всеуслышание объявил о том, что пора отработать скормленный хлебушек!

Для пыточной Меншиковым было подобрано место в подвале дома, где квартировал государь. Поначалу тут хранилось бутылочное вино, которого было такое огромное количество, что им могла упиться половина Пруссии. Но недавно выпили последнюю бутыль...

Осмотрев приглянувшийся подвал, палачи сочли его весьма удобным. Самое главное, что через метровую толщину стен наружу не пробивался ни один звук. Потому, не будоража покой горожан, можно без боязни выкручивать руки крамольникам.

Соскучившись по работе за время вынужденного безделья, палачи старались вовсю. Для начала поломали изменнику нос, а когда тот, отплевываясь от крови, пообещал наказать злодеев, вывернули скулу.

Подпирая макушкой своды, государь Петр Алексеевич спустился в подвал. Трое палачей в красных рубахах стояли полукругом подле человека, подвешенного за стянутые руки к торчащему из свода кольцу. Лица крамольника не разглядеть, оно залито запекшейся кровью, длинные волосы неприбранными лохмотьями стелятся по плечам и груди. Нескладный широкоплечий отрок с длинными обезьяньими руками примеривался раскаленными щипцами к изменщику.

— Глянь-ка сюда, милок. Ты, часом, щекотки не боишься?

— Прочь поди! — посуровел отчего-то царь, зыркнув зло на детину потемневшими глазами.

Шарахнувшись в угол от сурового взгляда государя, палач примолк.

Государева трость уперлась в грудь изменника, как если бы хотела проделать в самом центре дыру, затем медленно поползла вверх, приподнимая подбородок.

— Вот, значит, как ты платишь за добро. И родитель твой, и дед русским государям служили, а ты вот оно как... К супостату решил податься. Ведь клятву же ты мне давал! Крест чудотворный целовал! Сколько же ты получил за свою измену?

— Питер...

— Я тебе не Питер! — зло воскликнул царь. — А самодержец всея Руси. Клятву мне давал, а сам за пятак продал!

— Государь... Петр Алексеевич... — залепетал разбитыми губами изменник, — не казни, бес попутал. Дом хотел себе построить, посулили немало.

— С кем встречался?

— Себя он не назвал, а только письмо показал от барона Кинэна.

— Как он выглядел?

— Горбоносый... Высокий такой, с узенькой поседевшей бородкой. В богатом платье, а еще шпага при нем была.

— Та-ак, — насупился царь. — Значит, из дворян. Как же ты с ним общался?

— Да он русский знает не хуже нашего, только шепелявит малость.

— О чем расспрашивал?

— О тебе, Петр Алексеевич, расспрашивал. Интересовался, когда ты отъезжаешь. И какой дорогой поедешь.

Правый уголок рта государя нервно дернулся. Рука, приподнявшаяся было для удара, застыла. Удержался государь, спрятав трость за спину.

— И что же ты ответил?

— Сказал, что скоро, а точно не знаю...

— А шпиен что?

— Велел разузнать.

— Когда договорились встретиться?

— Завтра вечером в таверне... Около пристани.

— Ага... Скажешь ему, что царь отъезжает через три дня... Морем, как и прежде было оговорено. А сейчас государь судно подбирает подходящее. Все посольство в одном не поместится. Уяснил?

— Уразумел, государь, — охотно отозвался Глебов, хмыкнув разбитым носом.

— Развяжите его, — потребовал царь.

— Убежит ведь, Петр Алексеевич, — засомневался Меншиков.

— Ежели убежит, тогда князь Ромодановский всю его семью на дыбу поднимет. Уяснил? — сурово спросил царь.

— А то как же!

— Теперь ступай. Не до тебя нынче. И еще вот что. Когда про рожу начнут спрашивать, почему разбита, скажешь, что в трактире с пьяными матросами подрался. Они это умеют!

— Обязательно скажу, государь, — произнес Степан Глебов, потирая освобожденные запястья.

Взглянув в окно на удаляющегося окольничего, государь строго наказал:

— Алексашка, глаз с него не спускай. Если уйдет, так я с тебя первого шкуру спущу. Он нам еще нужен будет.

— Не уйдет, Петр Алексеевич, — заверил Меншиков, — я за ним топтуна направил. Свое дело знает, ни на шаг не отступит. А еще у самого дома его караулят.

— Наказ мой выполнил?

— Исполнил, государь, — почти обиделся Меншиков. — И ростом, и ликом на тебя похож, вот только приодеть бы его надо, тогда и не отличишь.

— Так в чем же дело?

— Так ведь, стервец, никак не желает с усищами расхаживать!

— Не скупись! Денег добавь. Золотишка ему отсыплешь поболее, так он и чугунок на голову наденет.

— Сделаю, государь.

* * *

Графиня Корф сладко потянулась. Рядышком, слегка запрокинув голову, посапывал Август II. Воспоминания о прошедшей ночи невольно вызвали удовлетворенную улыбку. Что бы ни говорили об Августе II, но он все-таки замечательный любовник! Неудивительно, что у него такое огромное количество женщин. Достаточно провести с ним наедине пару часов, чтобы запомнить навсегда!

Манерой любить он чем-то напоминал Луизе Петра. Правда, русский царь проводил адюльтер торопливо, часто даже не снимая шпаги и ботфорт, как если бы опасался, что вездесущая челядь не даст ему довершить начатое.

Август II, напротив, никуда не торопился. Порой возникало впечатление, что остроумная беседа занимает его куда больше, чем плотское вожделение. И только когда наконец после душевных разговоров они добирались до постели, Август доказывал, на что способен настоящий мужчина.

Графиня Корф называла себя собирательницей королевских сердец. Она сумела побывать в постели у половины европейских властителей. Интересно, найдется ли в Европе еще одна такая дама? И счастливо улыбнувшись, сделала вывод: пожалуй, что нет. Для этого, кроме очаровательной внешности, важно иметь немало талантов.

Кто бы мог подумать, что обыкновенная дочь служанки из провинциального города будет когда-нибудь иметь титул графини, лежать на шелковых простынях в объятиях королей, оставаться весьма независимой и обеспеченной особой.

Август открыл глаза.

— Разве вы не спите, графиня?

Интересная особенность: даже после страстных ночей любви Август продолжал обращаться к своим возлюбленным на «вы».

— Нет, мой король, я любуюсь вами.

— Мне это лестно слышать. Но право, по утрам я не в форме.

— Наоборот, вам очень к лицу утренний румянец.

— Надеюсь, прошедшей ночью я не разочаровал вас, графиня?

— О, что вы, мой король! Вы ненасытный и желанный любовник. Ничего подобного я не испытывала прежде, — голос графини был очень располагающим и искренним.

Уголки губ Августа чуть поползли вверх:

— Признаюсь, графиня, я старался. Вы и вправду меня любите?

— Разве можно не любить вас?

— Как далеко вы можете пойти ради любви?

Даже всемогущие короли нуждаются в любезности.

— Моя любовь к вам не знает границ, — без тени смущения отвечала Луиза.

Все мужчины одинаково падки на лесть: от простого конюха до венценосного короля.

— Ваше самопожертвование похвально, графиня, но я хотел попросить вас всего лишь об одном: быть как можно ближе к русскому царю.

И он туда же!

— В прошлый раз я подумала, что это была всего лишь невинная шутка.

— О нет, графиня! Это был четко продуманный план, за который последует щедрое вознаграждение. Так вы мне обещаете?

— Я сделаю все возможное, чтобы угодить вам. Но я слышала о том, что ему угрожает опасность.

— Вот как. И от кого же?

— Не пытайте меня, король, — мило улыбнулась графиня. — Могут же у женщин быть свои маленькие секреты?

— Разумеется. Мы попробуем уберечь его от неприятностей.

* * *

Еще через два часа Август проводил графиню через потайной ход, которым пользовался для тайных свиданий. Оставшись один, он позвонил в колокольчик. Дверь из соседней комнаты распахнулась, и в королевские покои вошел невероятно худой человек.

— Вы знаете, где сейчас находится русский царь?

— Да, мой король.

— Мне не удалось вывести мою гостью на откровенность. Но не выкручивать же ей руки!

— Вы всегда ценили женщин, ваше величество. Даже самых худших из них.

— Не преувеличивайте, — слегка смутившись, отвечал Август, — я не столь великодушен, но дело не в этом. Она призналась, — победно продолжал король, — что русскому царю действительно угрожает серьезная опасность. Я его должник. Постарайтесь отвести от него беду. Но делать это следует очень тонко. Мне бы не хотелось осложнений с соседями.

— Я вас понял, ваше величество.

— И еще... Пригласите его в Варшаву!

Глава 3

ГОНИ ИХ К ЛЕШЕМУ!

Петр Алексеевич проснулся рано. Пять часов утра, а он уже на ногах. Набросив на плечи короткий халат, едва прикрывавший голые ноги, и натянув на голову свой любимый вязаный колпак, он громко прокричал:

— Никола! Мать твою! Где тебя носит?! Государь твой уже поднялся, а ты еще дрыхнешь без задних ног!

Подобная история повторялась едва ли не изо дня в день, а потому секретарь Николай Макаров обычно терпеливо топтался у дверей, дожидаясь пробуждения государя. Предупредительно и негромко стучал в приоткрытую дверь и, не спросясь разрешения, смело перешагивал царские покои.

Петр Алексеевич огромными шагами нетерпеливо мерил покои, дожидаясь секретаря. Высоченный, едва ли не под самый потолок, с непомерно тощими ногами, со свесившимся на плечо ночным колпаком он чем-то напомнил Макарову цаплю. И секретарь всякий раз едва сдерживал улыбку, глядя на вышагивающего самодержца.

— Что там у тебя? — нетерпеливо спросил Петр Алексеевич, глянув на вошедшего Макарова.

— Сегодня у тебя, государь...

— Не государь, а бомбардир Петр Михайлов, — сдержанно поправил Петр Алексеевич.

Вчера утром царь отдубасил Алексашку Меншикова за то, что тот прилюдно назвал его государем (для всего окружения Петр Алексеевич продолжал оставаться бомбардиром Михайловым), так что следовало быть поосмотрительнее.

Невольно скосив взгляд на толстую дубину, стоявшую в самом углу комнаты, Макаров продолжил:

— Сегодня у тебя, бомбардир, встреча с английским послом.

Развернувшись, Петр Алексеевич удивленно буркнул:

— А чего это ему нужно от обычного бомбардира?

— Э-э... Наверняка он перепутал тебя, бомбардир Петр, с каким-то важным лицом.

— Ну ежели так, — смиренно согласился Петр Алексеевич, — придется уважить.

Заглянув в бумаги, Макаров продолжил:

— В десять часов должны прийти пиротехники.

— А это еще зачем? — подивился Петр.

— Так ты же, бомбардир, хотел устроить фейерверк, какой в Пруссии никогда не видывали, и даже собирался пригласить на него всех иноземных послов.

Лицо Петра Алексеевича приняло задумчивое выражение:

— Чего только не наговоришь спьяну, а потом расхлебывай! Много ли их прибудет?

Почесав пером макушку, секретарь отвечал:

— Да почитай две дюжины наберется.

— Многовато, — озадаченно протянул царь.

— Ты еще хвастал, Петр Алексеевич, что твои фейерверки лучше заморских. Вот они и придут посмотреть на твои дела. — Пожав плечами, Макаров добавил: — А еще грозил дубиной проучить кто идти не захочет.

Махнув рукой, государь изрек:

— Придумаем что-нибудь. Еще чего?

Петр Алексеевич вновь зашагал, и половицы под его размеренными шагами тонко и торжествующе поскрипывали.

— В двенадцать часов у вас встреча с прусскими купцами.

— Сколько их?

— Полсотни наберется.

— Чего им надобно от Петра Михайлова?

— Петр Алексеевич, им раньше других ведомо,

что ты царь. И вот хотят просить тебя беспошлинно торговать с Россией.

Отмахнувшись, Петр Алексеевич произнес:

— Ишь чего удумали! Гони их к лешему! Все дармовщиной хотят полакомиться, а казне от того убыток, а потом, бомбардиру Михайлову такие вопросы не решать. Чего там далее?

— Вчера стольника Ермолая Васильчикова задержала городская стража.

— За что?

— Пьян был, к девкам приставал.

— Как узнали?

— Он не один был, а с двумя товарищами. Вот те убежали, а он не сумел, уж больно хмельной был.

— Ну и дурень! Пускай посидит, авось поумнеет. Подержат, да и отпустят, не велик грех. Если каждого мужика задерживать за то, что бабам под юбку посмотрел, так все темницы переполнены будут. Что еще?

— Ночью драка в таверне случилась. Наша челядь с голландскими моряками подралась.

— И кто кого? — поинтересовался государь.

— Наша челядь голландских моряков побила. Тех числом поболее было. Но ничего, устояли. Да и как не устоять, если с ними Игнат с Поварской слободы! А он в кулачном бою силен!

— Выпороть бы их надо за своеволие, — призадумался государь. — Значит, ты говоришь, голландцев поболее было?

— Да раза в два, — охотно подхватил Макаров.

— Дашь им полсотни талеров, пусть раны свои залечат. Далее чего?

— Получено письмо от саксонского курфюрста.

— Когда? — встрепенулся Петр Алексеевич.

— Два часа назад.

— Почему раньше не передал?

— Уж больно крепко спал ты, Петр Алексеевич. Курьер постоял под дверями да и мне письмо оставил.

— А на словах что сказал?

— На словах велел передать, что благодарит тебя за помощь, клянется в вечной дружбе. Неделю назад курфюрст прибыл в сопровождении саксонского отряда в Польшу, — живо отвечал секретарь, протянув Петру Алексеевичу туго перетянутую грамоту, скрепленную сургучной печатью. — И уже принял католичество и короновался в польские короли под именем Августа Второго.

Заложив руки за спину, Петр Алексеевич зашагал вновь. Походка у него была стремительной. Каждый раз Макарову казалось, что государь не рассчитает расстояния и ударится головой в стену. Но царь неизменно резко разворачивался и столь же стремительно направлялся в противоположную сторону.

Знай о подобной привычке Петра Алексеевича Фридрих Третий, приготовил бы для него помещение попросторнее.

— Как там Луиза, разыскали?

Петр Алексеевич остановился напротив секретаря, сверля его колючим взглядом. Под пристальным взором государя секретарь, и без того небольшого росточка, казалось, усох еще больше. Следовало не разочаровать царя и подобрать подходящие слова, чтобы не накликать на себя беспричинный гнев. По тому, с каким вниманием ждал ответа

Петр, можно было подумать, что внешняя политика его интересует куда меньше, чем исчезнувшая женщина. Оставалось только гадать, что же заставляет сходить с ума российского государя. Не ошибиться бы...

Макаров невольно покосился на дубинку, стоявшую в самом углу комнаты. Заслуженное оружие — не один боярский лоб ею разбит. А сейчас будто в наказание за какую-то шалость стоит в самом углу комнаты и выглядит вполне мирно.

Не прогневался бы царь на правду. Вздохнув глубоко, Макаров отвечал, припустив в голос скорбь:

— Здесь она, бомбардир. Вот только теперича не Луиза, а графиня Литке. Поговаривают, что была полюбовницей самого шведского короля.

— Где она сейчас?

— Не ведаю...

— Отыщи ее!

— Сделаю все возможное!

Глава 4

ВОЙНА С РУССКИМИ УЖЕ ИДЕТ

Пожар, случившийся несколько месяцев назад в королевском дворце, практически полностью его уничтожил, оставив только северную часть, совершенно непригодную для жилья. У Карла XII под Стокгольмом оставалось еще десятка полтора резиденций, где он мог ждать восстановления дворца, пользуясь при этом всеми благами цивилизации. Однако король предпочел переехать в отдаленный замок Олавинлинна, расположенный на скалистом острове между озерами Хаапавеси и Пихлаявеси.

Впрочем, в этом тоже не было ничего удивительного. Король считал себя прямым наследником шведских рыцарей, а потому большую часть времени проводил в средневековых замках.

Замок впечатлял своими размерами: он имел три гигантские башни, соединенные между собой толстыми стенами. Первая башня была Пороховой. Самая высокая именовалась Колокольной, получившей свое название по церковным колоколам, установленным под крышей из темно-коричневой черепицы; здесь же размещались огромные замковые часы. На втором этаже башни располагался каземат с амбразурами для пушек, на другом находились казармы. Третья башня называлась Церковной; тут же размещалась замковая церковь. Третий этаж башни был жилым, а на одной из стен сохранился герб основателя замка — Эрика Тотта.

В замке была и своя темница, в которую помещались государственные преступники. Вход в нее начинался с небольшой пристройки в Церковной башне.

Два года назад король распорядился провести реконструкцию темницы: подвалы значительно углубили, расширили помещения. В результате проведенных работ в толстых стенах башни вскрылось несколько ниш, в которых обнаружили закованные в кандалы скелеты. Поговаривали, что это были политические противники шведских королей.

Граф Грип Йонссон всякий раз украдкой крестился, проходя мимо замковой темницы. Его предки, обладая немалым политическим влиянием и богатством, имели привычку перечить королям. Впоследствии некоторые из них бесследно исчезали из родовых замков, других, заковав в железо, отвозили навечно в казематы. Не исключено, что некоторые скелеты принадлежали его славным предкам. Поначалу граф даже хотел предложить Карлу похоронить останки с надлежащим уважением, но раздумал, опасаясь, что молодой король может счесть его просьбу вызовом верховной власти.

С высоты бастиона озеро Хаапавеси просматривалось до противоположного берега. Погода была безветренной. Тишь стояла такая, что начинала давить на уши. Карл, заложив руки за спину, шагал вдоль парапета бастиона. Иногда он останавливался, но только для того, чтобы взглянуть на зеркальную гладь воды. Лицо его в этот момент от чего-то напрягалось, становилось более суровым. Граф очень хотел бы знать, о чем думает король в такие минуты.

Может быть, он размышляет о том, что замок был построен на границе с Россией, и русские до сих пор считают, что оконечность, на которой находится крепость, на пять верст уходит в глубину их территорий. До этого они делали три безуспешные попытки отбить замок. Что случится на сей раз?

Как бы там ни было, но твердыни в предстоящей войне будет отведена особая роль.

Неожиданно Карл XII повернулся к сопровождавшему его графу.

— Как обстоят дела с русским царем?

— Сейчас он путешествует по Германии. Миновал Берлин, Бранденбург, Гольберштадт, ненадолго остановился у заводов Ильзенбурга.

Губы Карла разошлись в улыбке. В минуты душевного покоя он был очень снисходителен:

— А русский царь необыкновенно пытлив. И что же он хотел там увидеть? Как выплавляется чугун?

— Да, ваше величество. Он познакомился с технологией выпуска чугуна, затем с варкой железа в горшках, ковкой ружейных стволов, а также с производством пистолетов и сабель. В Германии он оставил нескольких дворян, чтобы они обучились всему, что знают в артиллерийском ремесле пруссаки.

Карл XII подошел к пушке и сильными гибкими пальцами погладил ее чугунный бок.

— Этого следовало ожидать. Когда русские начнут выплавлять свой чугун, они станут нашими главными военными противниками в Европе. Хотя сейчас их тоже не стоит недооценивать. Наверняка царь занимается вербовкой специалистов для службы в России.

— Именно так, ваше величество, — охотно отвечал Йонссон.

— Кого именно царь набирает к себе на службу?

— В основном мастеровых и военных. Но по нашим данным, до войны с русскими еще далеко...

— Послушайте, любезный мой граф, — неожиданно холодным тоном прервал Карл. — Война с русскими уже давно идет. Просто в настоящее время она пока носит скрытый характер. И мы должны это учитывать... Царь не начнет боевых действий, пока не накопит должного опыта. Но как только этот опыт появится, крепость, где мы сейчас с вами находимся, станет яблоком раздора.

— Но нужны соответствующие причины...

— Люди ведут столетние войны, не имея на то серьезных оснований, а в нашем случае все гораздо проще. Мне и моему народу тесно на тех землях, которые отведены нам богом и соседями, и я бы хотел расширить свои владения. А русский царь желает вырваться к морю, и я невольно нахожусь на его пути. Причины же могут быть разными. Вот эта крепость, кстати, действительно находится на территории России, а мне бы очень не хотелось отдавать ее русским. Вы понимаете меня, граф?

— Более чем кто-либо, — тотчас отозвался Йонссон.

— Потом, причиной может быть даже несварение желудка... Например моего.

Граф натянуто рассмеялся. Когда короли шутят, подданным полагается веселиться вместе с ними. Однако Карл оставался серьезен.

— Вы можете мне сказать, граф, сколько примерно человек царь отобрал для службы в России?

— В настоящее время их около трехсот. Но будет значительно больше, потому что вербовка идет весьма активно. Петр предполагает увеличить общее число до тысячи.

— Чем же заманивает их русский царь?

— Им всем предлагают большое жалованье. После трех лет службы в России домой вернутся настоящими богачами.

Король выглядел слегка озадаченным:

— Неужели они все большие специалисты?

Поначалу графа так же поражала быстрота, с которой русский царь набирал военных специалистов. Невольно напрашивалась мысль: если так дела будут продвигаться и дальше, то лучшие силы Европы уже в ближайший месяц перекочуют в Россию.

Две недели назад граф Йонссон дал задание

своим агентам выяснить, настолько ли они хороши, как представляются русским вербовщикам? И не далее как вчера вечером получил подробный отчет.

Граф Йонссон даже не пытался скрыть довольной улыбки.

— Среди завербованных и правда имеются знатоки своего дела: корабельщики, капитаны, лекари, пушкари. Есть даже один французский повар. Очень удачное приобретение русских, на мой взгляд, — прусский генерал-майор Остерман, голландский контр-адмирал Крюйс, полководец Карл Евгений де Круа.

— Ого! — невольно вырвалось у короля. — Кажется, он прослужил пятнадцать лет в войсках германского императора и даже получил чин генерал-фельдмаршала.

— Именно так, ваше величество. Петр лично завербовал к себе на службу искусного боцмана, норвежца Корнелиуса Крюи, обещав произвести в адмиралы, как только будет выстроен флот.

— Русский царь умеет быть щедрым, — усмехнулся Карл.

— О да! Но таких меньшинство... Большинство людей, нанятых царем Петром, весьма невысокой квалификации. Многие считают его большим недотепой и просто позарились на легкий заработок. Немало среди них мошенников, пройдох и прочих проходимцев. Так что русскому царю с ними придется еще изрядно повозиться.

— Что ж, вы сообщили мне весьма обнадеживающие новости. Значит, все эти пройдохи и проходимцы — наши друзья? К ним следует присмотреться получше, они могут быть весьма ценным источником сведений.

— Все они записаны, ваше величество. Их передвижение по России будут отслеживать наши агенты.

— Вот и отлично.

Карл внезапно умолк. Некоторое время всматривался в гранитные скалы противоположного берега, размышляя о своем. Незаметно поднимался ветер. Потрепав траву, пробивавшуюся среди валунов, он достиг фортеции, на которой стоял король с графом, и, побаловавшись кудрями их париков, утих.

— Займитесь вот чем: под видом специалистов постарайтесь подсунуть Петру наших самых проверенных агентов. Мы должны знать, что творится в стане русских... Даже если Петр и не вернется из этого посольства, русские не станут нашими друзьями.

— Будет сделано, ваше величество. У нас найдется немало генералов, которые захотели бы послужить родине именно таким образом. Они очень заинтересуют русского царя.

— Прежде я должен лично переговорить с каждым из них. Пусть знают, насколько я ценю предстоящую службу. У меня к вам есть еще один небольшой разговор. Давайте спустимся вниз.

Граф Йонссон насторожился. Придворный опыт подсказывал ему, что к учтивости королей следует относиться очень внимательно. На своем веку он помнил немало случаев, когда немилость начиналась именно с предупредительности. Некоторые из вельмож впоследствии сгинули в темнице замка...

— С удовольствием, ваше величество, — как можно безмятежнее произнес граф, стараясь стряхнуть страх, который тяжелым грузом уже наваливался на плечи. Он очень надеялся, что Карл не заметил его состояния.

По узкой гранитной лестнице они спустились с бастионов на первый этаж башни. Королевские гвардейцы, несущие караул в коридорах крепости, невольно вытягивались, когда Карл проходил мимо. Король, энергично размахивая руками, вышагивал по холодным помещениям первого этажа, увлекая за собой графа. Не оглядываясь, Карл миновал спрятанный в стене выход, который уводил за территорию замка; затем столь же стремительно прошел мимо высокой дубовой двери. За ней находился узкий коридор, соединяющий комнаты замка со двором крепости. Граф Йонссон невольно проглотил горький ком, подступивший к горлу: самые худшие опасения начинали оправдываться — впереди была всего лишь одна дверь...

И она уводила в подвал темницы.

У проема Карл остановился, чтобы посмотреть на приотставшего Йонссона, и с учтивой улыбкой последовал дальше, как если бы приглашал графа в увлекательнейшее путешествие.

Лестница, уводившая в темницу, была необыкновенно крутой, с высокими ступенями из цельного темно-серого гранита. На стенах в металлических конусах полыхали огромные факелы, небрежно отбрасывая клочья сажи к высокому сводчатому потолку. Сырость казалась необыкновенно плотной и очень тягучей, — бесцеремонно заползала за воротник, забредала за камзол, норовила угнездиться в сапогах.

Граф невольно поежился, стараясь сбросить наваждение. Король, привычный к невзгодам, не замечал ни копоти, падающей на букли парика, ни запаха застоявшейся плесени.

Лестница привела в огромное помещение, разделенное высокими решетками. Навстречу королю шагнул комендант крепости, двадцатилетний капитан Фредерик.

— Вы готовы, комендант?

— Да, ваше величество, — отвечал Фредерик. — Разрешите вас проводить.

Худшие опасения оправдывались. Неужели король за что-то прогневался на своего верного слугу и решил, что остаток дней тот должен провести под неусыпным надзором королевской стражи?

Грип Йонссон старался выглядеть равнодушным, что давалось лишь благодаря невероятной мобилизации всех душевных сил. Лицевой нерв непроизвольно дрогнул, приподняв правый уголок рта.

— Сделайте мне такую любезность, — охотно согласился король, последовав за комендантом замка.

Капитан Фредерик был прусского происхождения, но уже более ста лет его предки достойно служили шведской короне, добившись величайшей благосклонности монархов. Именно по этой причине Карл XII доверил Фредерику, несмотря на значительную молодость, одну из своих ключевых крепостей.

Страж, стоявший у решетки, расторопно распахнул небольшую дверцу, пропуская вельмож в глубину каземата. Король прошел первым, за ним, несколько нерешительно, ступил граф, и по-хозяйски, стукнув слегка по решетке ладонью, капитан Фредерик.

По стенам и потолку неприглядными лохмотьями свисал темный пористый мох, делая помещение еще более зловещим.

Прежний комендант крепости капитан Кольер, прослуживший в замке более пятнадцати лет, в позапрошлом году был отправлен в отставку по причине психического недуга. Поговаривали, что ему повсюду виделись души непогребенных людей. В последний год он почти лишился рассудка и когда отправлялся на ночлег, то всякий раз брал с собой дюжину ружей и палил из них, заслышав подозрительный шорох.

У нынешнего коменданта замка нервы оказались более крепкими. По тому, как он себя вел, было видно, что со всякой нечистью он находился едва ли не в приятельских отношениях.

Прежде графу Йонссону не приходилось так глубоко спускаться в темницу. Теперь он видел, что она почти бездонна. По обе стороны длинного коридора располагались узенькие закутки, отгороженные толстыми решетками. За ними, позвякивая тяжелыми цепями, просматривались силуэты узников в ветхих отрепьях, едва скрывающих тощие, почерневшие от грязи и сажи тела. Пахло застоявшимися нечистотами. Граф Йонссон несколько раз ловил себя на мысли, что ему хочется перекреститься, глядя на эти жалкие человеческие фигуры. Но он опускал руку вниз, наталкиваясь взором на непроницаемое лицо короля.

В подавляющем большинстве узники являлись государственными преступниками. Трудно было предположить, что в иные времена едва ли не каждый из них был обласкан с рождения, окружен заботой слуг и домочадцев, а повзрослев, получал немалую власть. От прежнего величия оставались лохмотья некогда дорогих одежд.

Откуда-то из глубины казематов раздался пронзительный крик. Видимо, еще одна душа обрела успокоение. Графа Йонссона бросало в лютый холод только от одной мысли, что на месте одного из них может оказаться он сам.

Скоро они пришли в небольшое помещение, ярко освещенное факелами. Развернувшись к графу Йонссону, король спросил:

— Граф, вы знаете, почему я привел вас сюда?

Йонссон осмотрелся. У самой стены лежали носилки, на которых под плотным белым покрывалом угадывалось очертание какой-то тщедушной фигуры.

— Нет, ваше величество.

— Я так и думал... Вы знаете, что мы проводим здесь реконструкцию?

— Да, я наслышан.

— Так вот, во время реконструкции в одной из каменных ниш мы обнаружили останки замурованного в стену человека. На нем была богатая одежда, пояс с золотой пряжкой, а на ней выбит герб вашего рода. Этот человек из вашей семьи, господин Йонссон, — тихо заключил король. — Я попытался отыскать записи, но они не сохранились. Поэтому я даже не знаю, кто именно находится под этим покрывалом. Может быть, вам известно, кто этот человек?

Граф сглотнул подступивший к горлу ком. Не следует показывать королю свою слабость. Он подошел поближе и увидел, как из-под покрывала выглядывают истлевшие кожаные туфли. На узком узорчатом ремешочке крепилась огромная золотая пряжка, на которой был выбит фамильный герб: широкий равновеликий крест, ниже которого чуть наклоненно размещался меч с оплетавшей рукоять распустившейся розой. А над перекладиной виден девиз: «Моя сила — в моей чести». Именно такую пряжку граф не однажды рассматривал на портрете своего прапрадеда, вывешенном в родовом замке.

В какой-то момент Йонссон едва не поддался соблазну тут же убедиться в своей догадке. Он даже сделал два крохотных шага, чтобы приподнять простыню, скрывавшую лик покойника. Но вовремя остановился, заметив недоуменный взгляд короля, обращенный в его сторону.

Вряд ли высохший череп мертвеца будет схож с тучным и жизнерадостным графом Стеном Стуре, каким тот запомнился современникам при жизни.

— Кажется, я догадываюсь, кто этот человек, — произнес Йонссон заметно осипшим голосом.

— Вот как! И кто же он?

— Это мой прапрадед граф Стен Стуре.

Граф Стен Стуре принадлежал к древнейшему аристократическому роду, что не помешало ему стать одним из богатейших людей своего времени. Некогда он состоял на службе короля Магнуса Эрикссона и был весьма влиятельным человеком в Швеции, настолько, что в зависимость к нему угодил даже король, которому он постоянно давал деньги в долг. Когда же приходило время расчета, так Магнус Эрикссон просто расплачивался с графом королевскими угодьями. В результате чего едва ли не половина земель Швеции стала принадлежать предприимчивому рыцарю.

Уж не это ли обстоятельство стало причиной его смерти?

Во всяком случае, рыцарь пропал сразу после того, как посетил королевский дворец в Стокгольме. И его исчезновение в свое время было одной из самых больших тайн в Швеции.

Король Магнус Эрикссон пожелал лично возглавить расследование, но следы рыцаря затерялись. Прошло немало времени, прежде чем родственники объявили его умершим. Вот тогда и начались многочисленные распри за его великое наследство, причем значительная часть земель вновь отошла королевской семье.

Но кто бы мог подумать, что тайна великого рыцаря графа Стена Стуре прячется в стенах замка Олавинлинна! Поговаривали, что король за долги должен был отдать символ своей власти — дворец в Стокгольме. Не желая смириться с возможной утратой, он просто устранил неугодного ему заимодавца.

— Ах вот как! — невольно вырвалось восклицание у Карла XII. — Вот, значит, где пришлось упокоиться славному графу Стену Стуре. Какая ужасная смерть! Он был едва ли не единственным человеком, который мог поспорить с самим королем. И у него были для этого основания!

Взгляд графа Грипа Йонссона скользнул по тесаным блокам и уперся в шероховатую гранитную поверхность, из которой торчало два огромных гвоздя. Внизу — побитая гранитная крошка. Немые свидетели гибели его предка.

— Теперь мы понимаем, чем заканчиваются подобные споры, — отважился на колкость Грип Йонссон.

— Он был достойным рыцарем, — беспристрастно продолжал король. — Ваш род всегда беззаветно служил шведским королям. Если и были какие-то разногласия между славным рыцарем и королем Магнусом Эрикссоном, то они уже давно решили их на небесах. Смерть примирила и правых и виноватых. Они, как и прежде, находятся за одним столом. А я лично ничего не имею к вашим предкам. — Губы Карла дрогнули в печальной улыбке. — Так что заберите его и похороните достойно в семейной усыпальнице, как и подобает человеку его звания.

— Спасибо, — голос графа слегка дрогнул, выдавая подступившее волнение. — Но у меня еще есть к вам просьба, ваше величество.

— Если это в моих силах, то я постараюсь ее исполнить. Так что вы хотите?

— Мне бы хотелось получить те кандалы, которые были на его запястьях.

— Хм... Для чего они вам?

— Они станут семейной реликвией, послужат предостережением для следующих поколений.

— Ваше желание будет исполнено. У меня никогда не возникало повода сомневаться в вашей мудрости.

— Ваше величество, разрешите мне заняться приготовлениями к погребению.

— Делайте все, что считаете нужным, — ответил король.

Заложив руки за спину, Карл заторопился к выходу.

Глава 5

ОТВОРЯЙ, ЦАРЕВНА СОФЬЯ У ВОРОТ!

Возвернувшись в Москву, Федор Юрьевич с воодушевлением взялся за государственные дела. Первое, что предстояло сделать, так это пополнить регулярную армию. В грамоте, писанной от имени Петра Алексеевича, он повелел с каждого села забирать в рекруты пяток молодцов, и уже днем позже посыльные разлетелись по ближним и дальним землям для сбора военного налога. В первую же неделю в Преображенское привели два полка новобранцев, оторванных от сохи. Прельстившись на государево жалованье, куда вместе с харчами входила и бутылка водки, они охотно подставляли для бритья косматые лбы. Цирюльники в последующие дни не ведали покоя. Набравшись терпения и вооружившись складными лезвиями, они ловко брили крутые лбы рекрутам, а полковой старшина, стоявший подле брадобреев с ковшом в руках, щедро черпал пиво из огромной бочки и угощал новобранцев во крещении.

Каждый из них через несколько лет уже видел себя унтер-офицером, жалованье коих должно было быть не в пример больше прежнего, а потому военное учение все воспринимали с большой охотой и так горланили походные песни, что в близлежащих домах вылетали стекла.

Но пуще всего рекрутам нравилась пальба, и старшины, не скупясь, сыпали порох в фитильные замки ружей.

С утра до вечера за Преображенским селом стоял неимоверный грохот. Дым обволакивал избы и огороды, и если бы не знать того, что идут учения, можно было бы предположить, что ворог подобрался к самой Москве.

* * *

Поутру, продравшись сквозь густой дым, больше смахивающий на плотный туман, ко двору князя Ромодановского в сопровождении конных стрельцов из Михайловского полка подкатила золоченая карета. Начальник стражи, большебородый, крепкого вида детина, уверенно шагнул навстречу, преграждая бердышом дорогу.

— Стой, окаянные! — прикрикнул он на возницу. — Не ведаешь, куда катишь?! Дворец князя Ромодановского! — И тотчас растерянно застыл, углядев в окне кареты царевну Софью Алексеевну.

А стрелецкий сотник, гарцуя на белом жеребце, уже напирал:

— Отворяй ворота! Царевна Софья Алексеевна у порога.

Виданное ли дело, сама царевна в гости к Ромодановскому пожаловала!

Справившись с накатившим замешательством, княжеская стража в едином порыве поскидала с кудлатых голов шапки и, не жалея горделивых спин, принялась отвешивать поклоны.

Первым опомнился начальник стражи. Пробившись вперед, он для важности припустил в голос малость строгости и объявил:

— Не положено без доклада!

Стрелецкий голова, слегка хлопнув плетью по голенищу, отвечал столь же сурово:

— С каких это пор царевна должна комнатным стольникам докладывать! Сказано отворяй ворота!

Поклоны отбиты, причитающаяся честь отдана, а теперь и о службе можно подумать. Разогнулась княжеская стража и, натянув шапки на самые уши, встала полукругом, как если бы собралась отражать натиск.

— Не велено пускать. Нынче Федор Юрьевич Ромодановский на Руси за хозяина. Ты уж меня извини, голова.

— Это что же... Царевне от ворот указываешь?

— А по мне все едино, что царевна, а что баба с базара... Чего же мне понапрасну-то под плеть ложиться?

Стрелецкий голова взмахнул было плетью, чтобы проучить нерадивого за дерзость, как из глубины двора прозвучал громогласный оклик:

— Что за раздор?!

С крыльца в долгополом охабне навстречу прибывшим гостям сходил князь Ромодановский.

— Царевна Софья Алексеевна прибыла, — смиренно отвечал начальник стражи, повинившись.

— Открывай ворота! — распорядился князь. — Кто же это государыню у порога держит!

Трехстворчатые ворота, неприветливо и протяжно проскрипев петлями, сложились в гармошку. Стража почтительно разомкнулась, освобождая дорогу, и карета, запряженная резвыми жеребцами, лихо вкатилась в большой княжеский двор.

Расторопные рынды распахнули дверцу кареты.

— Пожалте, государыня!

Взявшись за поручень, Софья Алексеевна шагнула к дверному проему. Терпеливо повременила, покуда стража не поправит лестницу, подставленную к самым ногам, а затем, будто бы пробуя на крепость, сделала первый шажок. И далее, поддерживаемая под руки неведомо откуда повыскакивающими мамками, храня степенность, сошла на землю.

Приподняв подбородок, царевна посмотрела поверх склоненных голов.

— Здравствуй, государыня, — ударил большой поклон князь Ромодановский.

В ответ лишь сдержанный кивок, определивший князя Ромодановского в вереницу холопов.

— Здравствуй, Федор Юрьевич.

— Нужда какая привела, Софья Алексеевна, или восхотела глянуть, как жительствую? — осмелился спросить Федор Юрьевич.

— Решила полюбопытствовать, князь. В народе глаголят, что ты в своем доме дыбу держишь да кнутом кандальников калечишь.

С лица Ромодановского пропала улыбка. Но отвечал он спокойно, слегка покачав головой:

— Наотмашь бьешь, государыня. Знаешь ведь, что не могу тебе дерзостью ответить.

— Ну коли так, пойдем тогда в дом. А то я ведь ненароком подумала, что ты меня на дыбе растянуть можешь, уж больно неприветливо твоя челядь меня встречает. Чего, мамки, приуныли? Ведите меня к Федору Юрьевичу.

Позабыв про дедовские традиции, царевна Софья Алексеевна в последние годы разъезжала часто в открытой карете, без сопровождения мамок и боярышень, выставляя напоказ неприкрытое лико. Реже ее можно было увидеть в компании князя Василия Голицына с эскортом стрельцов из Михайловского полка. И вот сейчас, будто бы вспомнив о дедовских заповедях, она заявилась во двор князя с полусотней боярынь и мамок, тотчас заполнивших княжеский двор. Ее появление в столь пышном сопровождении всякому давало понять, что своему выходу к Федору Ромодановскому она придает особое значение.

Боярыни последовали за царевной. Остановились ненадолго перед Красным крыльцом, когда государыня изволила передохнуть. Преодолевая ступеньку за ступенькой, взобрались на самый верх, сбившись гуртом перед высокими дверями.

Повернувшись к мамкам, царевна произнесла:

— Вот что, боярыни... Мне с князем потолковать нужно. Подождите меня в сенях.

Стража, потеснившись, распахнула двери, и Софья Алексеевна величаво перекатила тучное тело в боярские покои.

— Присаживайся, царевна, ведь не у порога же нам толковать.

Грузная, с одутловатым лицом, Софья Алексеевна походила на Петра разве что взглядом, столь же пронзительным и колючим. Под его тяжестью невольно хотелось бухнуться в ноги государыни. Крякнув, князь Ромодановский удержался от соблазна. Не по чину! В отсутствие Петра Алексеевича на земле русской он за хозяина!

Некоторое время они просто смотрели друг на друга, отмечая изменения во внешности, произошедшие со дня их последней встречи. За прошедший год они виделись только однажды, и князь с некоторым удивлением обнаружил, что Софья Алексеевна заметно располнела, а кожа на скулах слегка отвисла, состарив ее на несколько дополнительных лет. Да и сама царевна взирала на стольника с таким нескрываемым интересом, как если бы в его облике произошли изрядные перемены. Но князь Федор Юрьевич был уверен, что в действительности это не так. Лично для него прошедший год оказался весьма благоприятным. Если и вкралась в густую шевелюру пара седых волос, так это по недоразумению.

А потому взгляд царевны он принимал спокойно, с затаенным превосходством. Пора бы и слово молвить, а Софья Алексеевна все в гляделки играет. По сытому лицу Федора Юрьевича промелькнула лукавая улыбка: «Не пересмотришь, государыня!»

— И каково тебе? — наконец разомкнула уста царевна.

Низкий голос государыни под сводами палат приобрел мощь, заворожил.

— О чем ты, государыня? — спокойно отозвался князь Ромодановский.

— Каково тебе на Руси?.. В отсутствие государя?

Брови Федора Юрьевича негодующе изогнулись, переносицу, поросшую густыми черными волосами, резанула глубокая морщина — не с того следовало бы заводить разговор. Это не баловство — государево бремя на себя взваливать.

Подбоченился малость князь, выправил осанку и отвечал достойно, как и подобает хозяину:

— Видно, не нашлось лучшего, кому следовало бы царство оставить.

— Вон как ты заговорил, Федор Юрьевич, — покачала головой царевна. — Узнаю строптивый род Ромодановских. Вот потому выше стольников никто из вас не выбился. Вам бы голову склонить, когда надобно, а вы все норов свой стремитесь показать.

Князь Ромодановский только плечами повел: чего же отвечать на напраслину?

Не дождавшись ответа, Софья Алексеевна продолжала выговаривать столь же сурово:

— А царева сестра, стало быть, не в счет!

— Софья Алексеевна, не будем браниться. Не с меня спрос. Я себя на царство не ставил. Тебе у Петра Алексеевича спросить надо было бы.

Прежде у царевны были темно-каштановые волосы, прибранные в толстенную косу, но нынче из-под высокой кики не выбивалось даже случайной пряди. Поговаривают, что сила у бабы прячется именно в волосьях: в девках ходила, так не одного отрока сгубила!

— А только вот что я тебе хочу сказать, князь. Помазанник божий далеко, а я здесь... рядышком! И вернется ли вообще государь из немецкой земли? Поговаривают, сгинул он!

Горло перехватило, и князь Ромодановский произнес испуганно:

— Чего же ты такое говоришь, царевна!

— А то и говорю, Федор Юрьевич. Не приедет Петр! Если бы не ведала, так даже словом бы не обмолвилась.

Ужас не давал князю вымолвить ни слова, и он вытаращенными глазами немо пялился на Софью. Неужели ей известно нечто такое, чего неведомо судье Преображенского приказа? А Софья Алексеевна продолжала спокойно, как если бы речь велась о самых обыкновенных вещах.

— Вот мы сейчас с тобой беседу ведем, а Петра, быть может, и в живых-то нет.

— С чего ты такое взяла, государыня?!

— Не одна на свете живу, есть люди, в свите Петра, которые мне обязаны, — туманно произнесла Софья Алексеевна, — вот они мне и сообщают. Порешат его!

— И кто же должен... загубить государя?

— Неведомо мне. А только уж больно он ретиво за дела брался, вот и нажил себе немало врагов.

— Предупредить бы надобно Петра Алексеевича.

— Поздно, Федор Юрьевич. — Картинно перекрестившись на икону в красном углу, царевна добавила: — Коли бы раньше знать! И вот я тебя хочу спросить, князь, что ты будешь делать, ежели царство без государя останется? Или думаешь самому на столе удержаться, чтобы нами всеми помыкать?!

Голос государыни погрубел. Черные глаза подозрительно прищурились — будто бы сам Петр Алексеевич взирал. Каково тут не повиниться!

— Господь с тобой, царевна! — не на шутку перепугался Ромодановский. — У меня и в мыслях подобного не было. Все мои предки при русских царях верой и правдой служили. Мой батюшка покой твоего батюшки Алексея Михайловича охранял. И я тем же самым занимаюсь. А что до чинов... Не гонюсь я за ними. Только до комнатного стольника и дослужился. — Махнув рукой, добавил: — Да мне большего и не надо, главное — при государях быть.

— При государях хочешь быть... Будешь при государе, если меня слушать станешь! — строго заметила Софья Алексеевна. — Ежели Петра не станет, так царский стол перейдет ко мне. На моей стороне сила! А уж они смутьянов прижмут.

— И кто же на твоей стороне, царевна? — осмелился спросить Ромодановский.

— Стрелецкие полки Великого Новгорода, Пскова, Владимира, Ярославля, — уверенно принялась перечислять Софья Алексеевна, загибая пальцы. — Да и в самой Москве немало сторонников найдется. Макарьевский полк, Васильевский, Стародубский...

Князь Ромодановский невольно закусил губу. На кого же опираться царевне, как не на стрельцов? Она им вольницу обещала пуще прежней, сулила жалованье добавить. Во все времена стрелецкие полки были крепки своим бунтарством, а теперь, когда Петр Алексеевич в дальние земли отбыл, так они совсем могут из повиновения выйти.

— Это все?

Софья Алексеевна едва заметно улыбнулась:

— Нет нужды перечислять все полки, князь. Но стоит мне только подать им сигнал, как они возьмут в осаду Москву и разорят все боярские дома.

Князь Ромодановский подозревал, что так оно и случится. Видно, где-то не досмотрел. Государь ему царство доверил, а он его по миру пускает...

Хомут бы набросить на стрелецкие полки да погонять их до тех самых пор, пока наконец из них дурь не выветрится. Чего же только надо этим супостатам?! Живут позажиточнее прочих. Такой достаток, как у стрельцов, и у иных купцов не встретишь! А они все бунтуют. Земельные наделы им поотрезали, от податей освободили, едва ли не каждый лавку держит, мошну набивает как может.

А им все мало! Вот она, человеческая неблагодарность!

Федор Юрьевич как-то враз погрузнел. Руки со стола не поднять, будто бы тяжестью налились.

— А царевна Евдокия об этом ведает?

— Знает! — бодро отвечала Софья. — У нее к Петру свои притязания имеются. Поначалу она хотела подле себя его удержать, а только не получилось... Мой братец только о том и думает, как бы на бабу запрыгнуть! Почитай, ни одной девицы в Кокуе не осталось, которой бы он под юбку не залез. Опостылел ей Петр! Чего же себя в монастыре-то хоронить при живом муже? Сызнова хочет жизнь начать. Глядишь, другого суженого отыщет.

В какой-то момент князю Ромодановскому пришла безрассудная мысль кликнуть стражу, чтобы спровадить царевну в острог. А уже утречком поговорить с ней в пыточных палатах. Брякнули металлом за дверями стрелецкие бердыши, предупреждая о неразумности спешных решений.

— И давно ты... измену надумала, Софья Алексеевна? — продолжал хмуриться князь.

Губы царевны изогнулись в некрасивой улыбке:

— Измена, говоришь... Свое забираю, то, что у меня отнято было. А вот ежели ты против меня пойдешь, тогда это измена будет! В темнице сгинешь, даже косточек от тебя не останется! А поможешь... Я добро помню. Будешь, как и прежде, главой Преображенского приказа. Что же ты молчишь, стольник?

Дыхание затруднилось. Речи у царевны были тугие, крепкие, как будто бы удавку вокруг шеи затягивала. Расстегнув ворот, Федор Юрьевич произнес:

— Только пойдет ли за тобой народ, Софья Алексеевна? Без мужа на престоле долго не усидишь. Тут опора нужна.

Откинув голову назад, Софья Алексеевна рассмеялась неожиданно звонким голосом. Шапка слегка сдвинулась, и на лоб выбилась небольшая прядь каштановых волос. Теперь государыня выглядела на редкость привлекательной. Вот оно и свершилось, колдовство!

Отсмеявшись, она отвечала серьезно:

— А только с чего это ты вдруг решил, что я одна на престоле сидеть буду? Замуж меня возьмешь? Вот тогда вместе царствовать станем. После того, как ты вытащишь из горницы дыбу с клещами. Чего замялся, стольник? Проводи царевну до ворот! И более мне не перечь... Сгною!

Федор Ромодановский поднялся. Теперь он понимал, почему Петр Алексеевич побаивался своей сестры — характером-то она, может, потверже будет...

Огромная, как изваяние, Софья Алексеевна поплыла в сторону двери. Князь Ромодановский невольно хмыкнул: «Окажись на дороге у такой бабы, так она помнет, не заметив, и далее себе потопает».

Проводил, как и полагается, до крыльца. Невольно скривился, заметив, как к ней, проявляя завидную расторопность, подскочили боярыни с мамками.

— Вы что сомлели, нерадивые! — осерчала царевна. — У двери пристало встречать! — И, отмахнувшись от боярынь, как от навязчивых насекомых, произнесла: — Отойдите, сама спущусь. А то вашими стараниями только лоб расшибешь!

Федор Юрьевич во двор сходить не стал. так и поглядывал сверху на государыню.

Царевна уверенно спустилась с крыльца, даже не взглянув на склонившуюся челядь, направилась к карете. Кто-то из стрельцов расторопно распахнул перед ней дверцу, другой так же проворно пододвинул к ногам лестницу. Государыня, подобрав подол, взошла на ступень.

Как только ворота за отъехавшей царевной притворились, князь Федор Юрьевич подозвал начальника стражи.

— Ты про стрелецкий бунт что-нибудь слышал? — напрямик спросил он, буравя его переносицу махонькими глазками.

Таковому мужу не соврешь, разом все нутро наизнанку вывернет. Поежился начальник стражи и отвечал как есть:

— В народе разное болтают. Тут как-то я в кабак зашел, так там стрельцы Семеновского полка сиживали. Пивом все зенки залили, за столом никого не видят, себя только и слушают. Вот они и говорили, что многие Петром недовольны, хотели бы на царском столе Софью видеть.

— Понятно, — удрученно протянул князь Ромодановский. Хлопотное это дело — на царстве сидеть, не успеешь одну беду вывести, когда уже другая внимания требует. — Жалованья тебе хватает?

Начальник стражи довольно заулыбался:

— Федор Юрьевич, благодетель ты наш! Коли не ты, так не знаю, как бы и жил! Хозяйство содержу, а оно немалое, почитай, пол-улицы будет, — не без гордости протянул старшина. — А тут еще и пиво варю, тоже достаток имею.

— Я тебе еще добавлю, — сунув руку в карман, он вытащил горсть серебра. — Держи!

— Да за что же такая награда, Федор Юрьевич? — оторопел начальник стражи, все еще не решаясь подставить ладонь.

— Держи, говорю! — прикрикнул князь.

Серебро звенящим ручейком полилось в грубоватые ладони старшины, сложенные лодочкой. Не просыпать бы!

— Знаешь, здесь сколько? — прищурился князь.

Голова взглянул на горку монет, сглотнул набежавшую слюну и отвечал сиплым голосом:

— На эти деньжища полдюжины коров купить можно.

— Верно... Половину возьми себе за верную службу...

— Благодарствую покорнейше, — склонилась коротко стриженная голова.

— ...А вот другую отдай товарищам. Пусть в кабаки походят да крамольные речи о государе-батюшке послушают. Пусть запоминают всех тех, кто о нем худое говорит. И чтобы тебе обо всем сообщали. Ну а ты уже мне все расскажешь. Уразумел?

— Как не понять, Федор Юрьевич! — охотно закивал головой старшина.

Федор Юрьевич посмотрел в сторону удаляющейся кареты. Поднятые из-под копыт коней клубы пыли не давали разглядеть сопровождение. Зависнув над самой дорогой, пыль медленно оседала, освобождая для обозрения поначалу всадников, а потом коней. Далее дорога скатывалась под горку. Через какую-то минуту и карета пропала, будто проглоченная неведомым зверем, за ней сгинули и всадники. Замешкался лишь последний, крикнув что-то повстречавшейся девушке с коромыслами. Поднялся на дыбы конь, тряхнул длинным хвостом и провалился вниз следом за остальными.

— Вот и славно, — проговорил с облегчением Федор Юрьевич. — А когда это потратишь, так я тебе еще добавлю. — Вздохнув тяжко, изрек: — Чует мое сердце, будет нам работа, когда Петр Алексеевич возвернется.

Глава 6

БЛИСТАТЕЛЬНЫЙ ПРИНЦ ДЕ КОНТИ

Французские войска, двинувшиеся к границе Польши, не сумели повлиять на решение сейма, который остановился в конце концов на кандидатуре саксонского курфюрста. Главной причиной произошедшего де Конти считал русские войска, подошедшие к границам Польши с востока. Число их было весьма большим, да и действовали они не в пример решительнее французских наемников.

Не ведая об устали, три ночи подряд русские стрельцы горланили песни, разжигали высоченные костры, а пробудившись ото сна, размахивали пиками, обещая вогнать острие во всех несогласных.

Шум, учиненный стрельцами, был настолько велик, что разрушительным валом докатился до самой Варшавы. Уже на четвертый день, отринув последние сомнения, польский сейм выбрал саксонского курфюрста своим королем.

* * *

Горечь от поражения принц Франсуа-Луи де Бурбон-Конти отправился залечивать в замок Шамбор в Бургундии. Замок использовался королевскими особами во время охоты. В иное время он пустовал. Так что лучшего места для отдыха придумать было трудно. Здесь у принца имелись великолепные покои, в которых он часто коротал время с хорошенькими фрейлинами. Но сейчас принц де Конти решил ехать в замок не для адюльтеров, без пышного сопровождения. Всего-то достаточно пары слуг, чтобы заботиться об его одежде и готовить обед.

Замок вырос из глубины аллеи, в который раз поразив воображение принца. Здание казалось почти сказочным. Только садовник, подстригавший кусты у самой стены, никак не вписывался в декорации.

У самых ворот, спрятавшись в тени дерева, сидел Станистав Лещинский, один из немногих шляхтичей, поддерживающих принца. Поначалу де Конти хотел проехать мимо, не удостоив шляхтича даже скупым приветствием (о чем, собственно, говорить, когда королевский трон достался саксонскому выскочке!), но тот неожиданно вылетел на дорогу.

— Принц Франсуа-Луи де Бурбон-Конти!

Этот шляхтич явно безумный. Франсуа-Луи невольно натянул поводья:

— Вы с ума сошли! Мой конь едва не растоптал вас!

— Простите мою настойчивость, я понимаю, как вам сейчас нелегко, — с сожалением в голосе заговорил шляхтич, — но мне бы хотелось переговорить с вами.

— О чем?

— Еще не все потеряно!

— Вы так считаете? — Брови герцога де Конти от удивления поползли вверх.

— Так считаю не только я, так считают многие ваши друзья и союзники, которые заседают в сейме.

Весьма неожиданное начало, пожалуй, к этому шляхтичу стоит прислушаться.

— Что ж, давайте продолжим наш разговор в замке.

Пришпорив коня, принц на полном скаку влетел в распахнутые ворота.

Внутри замок выглядел не столь помпезно, как снаружи. Чувствовалось, что французские короли не баловали его своим вниманием, используя Шамбор как отдаленную резиденцию. Убранство в комнатах тоже было весьма скудным, но зато имелось все самое необходимое. Франсуа-Луи, воспитанный герцогом де Бурбоном, величайшим из полководцев, которых когда-либо знала Франция, привык к аскетизму, а потому не испытывал неудобств.

В этот замок принц де Конти перенес все знамена, которые когда-то завоевал его наставник. Кроме внешнего сходства, — оба долговязые, тонкой, но крепкой кости, с длинными конечностями, отчего их фигуры выглядели слегка несуразными, — их судьбы были в чем-то схожи. Тридцать лет назад герцог де Бурбон так же претендовал на польскую корону, но выбор был сделан в пользу герцога Нейбургского.

Вряд ли он переживал меньше де Конти.

Впоследствии непризнанный и оболганный герцог де Бурбон был вынужден бежать в Испанию, с которой когда-то воевал долгие годы.

Нечто подобное произошло и с принцем де Конти, который был выслан в Шантильи только за то, что он нелестно отозвался о второй жене Людовика XIV Ментенон Франсуазе д'Обиньи, внучке предводителя гугенотов. Кто бы мог подумать, что отверженную Ментенон во Франции может ожидать столь блистательная карьера — из обычной няньки незаконнорожденных детей короля она сделается женой монарха.

Так что повод для злословия имелся.

Вместе со знаменами принц де Конти перетащил в замок бронзовый бюст герцога де Бурбона в парадных одеждах. Де Конти неизменно всякий раз подходил к нему, как бы советуясь, когда приходилось принимать трудное решение. Не изменил он привычке и на этот раз. Некоторое время он смотрел в металлические глаза короля. Великий наставник молчал. Следовало самому определить собственную судьбу.

— Так что вы хотели мне сказать? — повернулся принц к Лещинскому.

— Нам известно, почему русский царь принял сторону Августа.

— Ах вот как! — В голосе герцога прозвучала откровенная усмешка. — Поделитесь тогда со мной.

— По нашим данным, русский царь создает антишведскую коалицию, а саксонский курфюрст для этой роли подходит наилучшим образом. Едва он взошел на престол, как тотчас подтвердил свои союзнические обязательства с Петром.

— Мне это хорошо известно, — холодно произнес принц, едва сдерживая раздражение.

Если разговор будет продолжаться в таком же тоне, то шляхтича придется выставить за ворота.

Однако Лещинский не смутился.

— Не так давно русский царь закончил войну с Турцией и заключил с ней перемирие. Однако он очень опасается, что султан вновь начнет против него боевые действия. А если бы вы, как союзник Турции, сделались королем Польши, то, возможно, ему пришлось бы вести войну на два фронта. России этого не выдержать, и поэтому он не поскупился ни на угрозы, ни на золото. Некоторые люди из польского сейма так разжились за счет царя Петра, что теперь слывут настоящими богачами.

Принц де Конти готов был поклясться, что в словах шляхтича слышалась самая настоящая зависть.

— Пан Лещинский, кажется, вы хотели предложить мне нечто конкретное. Я глух для пустых разговоров.

— Да... Я бы хотел вам сказать, чтобы вы не отчаивались. Уже сейчас подавляющее количество шляхты недовольно новым королем. Он весьма разнузданно ведет себя с женщинами. Поговаривают, что у него около трехсот незаконнорожденных детей...

Франсуа невольно улыбнулся:

— Милейший, вы полагаете, что это большой недостаток? Не знаю, как у вас в Польше, но у нас во Франции подобные вещи вызывают только восхищение. А некоторые правители своим подданным раздают за это даже ордена. В конце концов, ведь они рожают солдат!

Шляхтич оказался упрямым. Он и не думал сдаваться.

— Все это так. Но одно дело, если подобные вещи курфюрст проделывает у себя в Саксонии и совсем другое — в Польше! Август всегда будет в нашем королевстве чужаком, и ему никогда не простят даже мелочь, — заметил Лещинский; де Конти слегка кивнул, в чем-то этот шляхтич был прав. — Не так давно он затащил к себе в спальню дочь самого графа Чарторижского. А ведь она помолвлена с графом Храповицким!

— Вот как. И что?

— Помолвка была расторгнута, а чести девицы нанесен значительный ущерб.

Принц сделал сочувствующее лицо. В этой Польше и впрямь не все в порядке. Если бы срывались помолвки со всеми теми девицами, что побывали в спальне де Конти, то его двор лишился бы половины всех кавалеров.

В действительности принца мало интересовал

граф Храповицкий и, уж конечно же, он не собирался подвергаться унынию по этому поводу. Ему
стоило оглянуться в недавнее прошлое, чтобы на-
считать полсотни разбитых девичьих сердец. Право,
он не помнил даже многих имен. Но следовало со-
ответствовать случаю. Закатив скорбно глаза, Франсуа де Конти изрек:

— Все это так печально.

Необходимо как можно быстрее отделаться от
навязчивого шляхтича. Оставалось только подыскать благовидную причину. Он допустил ошибку,
когда разрешил поляку перешагнуть порог своего
кабинета.

Станислав Лещинский вдохновенно продолжал:
— В своих страстях Август II ни в чем не знает
удержу. Он посягает даже на замужних дам!

Принц де Конти едва не расхохотался. Этот
шляхтич — неисправимый романтик. Или плут, каких свет не видывал. Для мужчины замужество
женщины никогда не станет препятствием в интим-
ной близости. Наоборот, оно только сильнее воспа-
ляет воображение. Пожалуй, что обладание замуж-
ней женщиной приятнее, чем какой-нибудь девицей, не знающей толк в мужских ласках. И уж как
отказать себе в удовольствии после произошедшего
адюльтера побеседовать с ее ни о чем не подозре-
вающим мужем, называя его даже своим близким
другом, вспоминая при этом его благоверную в самых соблазнительных ракурсах.

— О да! — изобразил де Конти вполне искрен-
нее возмущение. Иногда в разговорах приходится
бывать и артистом. — Это отвратительно!

— Скажу вам так, принц. С первой же минуты

своего правления Август сделался в Польше очень непопулярной фигурой. Могу заявить с полной уверенностью, что ему вряд ли удастся продержаться долго.

— И сколько же вы ему отводите?

— Думаю, что не более полугода.

Разговор начинал принимать интересный оборот.

— Вот как?

— Среди аристократии зреет заговор, и я — один из его участников.

— Так что же вы хотите от меня?

— Сейчас у Польши очень трудные времена. Не оставляйте ее, — едва не взмолился Храповицкий, — и она ответит вам любовью.

Франсуа невольно перевел взгляд на изображение герцога Бургундского. Герой Тридцатилетней войны Луи II де Бурбон-Конде взирал на воспитанника слегка настороженно. Принц де Конти знал его как никто другой, хотя бы потому, что вырос в тени великого родственника и в подражание ему решил избрать военную карьеру.

За свою жизнь принц де Бурбон получил немало наград и был удостоен многими титулами, а в своем отечестве до самой смерти так и остался первым принцем крови, не став королем. И едва ли не до самой смерти соперничал за польскую корону, потратив на это долгие десять лет жизни. Его могучее здоровье подточила не война, где он неизменно выходил победителем, а закулисные игры политиков, всякий раз вырывавших из его рук предложенную было корону.

Что ж, это еще раз доказывает истину, что великий полководец не всегда может быть хорошим дипломатом...

В какой-то момент принцу де Конти показалось, что губы великого Луи слегка дрогнули — от былой надменности не осталось и следа.

— Хорошо, — принял непростое решение Франсуа-Луи. — Я могу подождать еще некоторое время.

Лицо пана Лещинского застыло, но уже в следующее мгновение четко очерченные линии сложились в благодарную улыбку. Не скрывая облегчения, он произнес:

— В лице граждан Польши вы, принц, найдете самых благодарных своих подданных. Это я вам обещаю.

Проводив графа, принц де Конти посмотрел в окно. С окон третьего этажа была видна длинная аллея. Идеальное место для отдыха, в котором продумано все до последних мелочей. Имелись здесь даже тенистые беседки, увитые плющом, где знать могла предаваться невинным адюльтерам. Помнится, принц и сам провел тут немало сладостных часов.

В восемь часов вечера у него была назначена встреча, от которой, быть может, зависела его дальнейшая судьба. Герцог невольно вскинул голову и увидел, что большая стрелка на часах переместилась на цифру «двенадцать». В тот же момент дверь распахнулась и верный слуга, старый Жак, который знал его с малолетства, сообщил:

— Ваше высочество, к вам пришел господин де Витт.

Принц развернулся:

— Зови его, Жак!

Через несколько минут в комнату вошел человек лет шестидесяти. С длинными усами порохового цвета, свисающими вниз, и с короткой ухоженной бородкой он мог показаться неуклюжим. Но осанка, могучие плечи и широкая грудь воина невольно вызывали уважение.

— Проходите, адмирал, — доброжелательно произнес принц, стараясь с первой же минуты расположить к себе гостя. — Присаживайтесь.

Мужчина сел на предложенный стул, мягкий, с высокой спинкой. На нем был великолепный белоснежный двубортный камзол и головной убор, расшитый серебряными и золотыми нитями, подчеркивающими его высокое положение и богатство.

— Я уже давно не адмирал, — губы гостя разошлись в лукавой улыбке. — Мои годы уже не те. Сейчас я больше сижу на берегу и лишь посматриваю на море.

Эти слова невольно развеселили принца. Адмирал де Витт никак не мог быть только сторонним наблюдателем. Всю свою жизнь он провел на море и прошел путь от безусого юнги до вице-адмирала флота Голландии. Вряд ли в океане еще оставался уголок, в который не заносила его флотская судьба.

Карьера де Витта началась с того, что он принял участие в сражении против Англии[1]. И лично приколотил на грот-мачту метлу, свидетельствующую о том, что будет воевать с врагом до тех самых пор, пока наконец не выметет их вон.

---

[1] На самом деле к моменту описываемых событий Ян де Витт уже давно умер. Здесь де Витт — собирательный образ. — (*Примеч. редактора*).

Впоследствии де Витт отправился в Вест-Индию, где занимался торговлей. Но, как поговаривали, не упускал благоприятный случай захватить какой-нибудь торговый корабль. Несколько лет он провел в водах Новой Голландии, но уже в качестве пирата, затем три года служил испанскому королю, а потом вновь стал пиратом и более не сворачивал с выбранного пути.

Было время, когда его эскадра состояла из десяти кораблей, и сильнейшие державы мира старались получить его расположение, чтобы использовать силу адмирала де Витта в своих политических интересах.

Де Витт давно уже отверг все моральные принципы и оставался на стороне того, кто больше платит.

В этот раз за помощью к нему обратился принц де Конти. В качестве залога для предстоящего разговора француз высыпал немало золотых монет. Такому красноречивому человеку трудно отказать во встрече...

Глаза у де Витта были темно-синие, очень спокойные и таинственные. Именно такими представляются океанские глубины.

— Для меня вы всегда останетесь адмиралом, — сдержанно отвечал принц.

Губы де Витта слегка разошлись в благодарной улыбке. Он привык к общению с сильнейшими. Ни один из них не удостоил бы его даже взглядом, если бы им ничего от него не требовалось. Следовало держать ухо востро. Французы в нем заинтересованы, а стало быть, это обыкновенная сделка, из которой надлежало извлечь максимальную выгоду.

— Мне это лестно слышать.

Де Витт щелкнул крышкой карманных часов. Эта золотая вещица досталась ему в качестве трофея от английского адмирала. Рядом со старым гербом он выбил собственный, что свидетельствовало о смене владельца.

Принц невольно улыбнулся. Адмирал так подчеркнул свою значимость, а заодно давал понять, что пора переходить к делу.

— Вы знаете о том, что я совсем недавно претендовал на польскую корону?

— Да, кое-что мне об этом известно, — сдержанно отвечал адмирал, не желая вдаваться в детали.

— Все шло к тому, что корона должна была достаться мне, — неожиданно для себя де Конти обнаружил, что в его интонации прозвучала настоящая обида — непростительная оплошность для принца крови.

Возникла неловкая пауза. Адмирал молча ожидал продолжения. Если герцог решил пожаловаться, то нашел не самого благодарного слушателя.

— Возможно, я бы ее и получил, но польский сейм склонился не в мою сторону. Незадолго до выборов ко мне приехали два десятка шляхтичей и уже клялись в верноподданстве, давали присягу. Признаюсь, в какой-то момент я даже расслабился и посчитал своего соперника, саксонского курфюрста, несостоятельной фигурой. Но тут неожиданно появился русский царь Петр...

Адмирал де Витт слегка кивнул, давая понять, что слушает внимательно.

— Я немного в курсе этой неприятной истории, — произнес он. — Царь Петр дважды писал угрожающие письма польскому сейму и требовал, чтобы они приняли сторону саксонского курфюрста Августа, даже грозил им войной. А потом, чтобы поторопить их с выбором, отправил к границе с Польшей свои войска. Кажется, это обстоятельство сыграло решающую роль.

— Совершенно верно, — проявляя подчеркнутую учтивость, согласился де Конти. — А вы осведомлены о моих делах. Не ожидал.

— Не ищите здесь никакого смысла, — сдержанно заметил де Витт. — Мне приходится заниматься очень многими вещами, и я просто обязан быть в курсе различных дел. А потом, сейчас об этом говорит вся Европа.

— Ну да, конечно... Впрочем, ничего удивительного... Роль неудачника не для меня, — принц едва сдерживал отчаяние. — Мне бы хотелось остаться хозяином положения.

— Полагаю, что мы подошли к главному. И какова моя роль во всей этой истории?

— Тогда вы осведомлены и о том, что русский царь путешествует по Европе под вымышленным именем...

— Петр Михайлов.

— Вот именно... Не понимаю, зачем ему нужен весь этот маскарад? Русские всегда отличались странностями.

— Сейчас он пребывает в Кенигсберге.

— Вы — очень понимающий собеседник. И наверняка знаете даже о том, куда Петр должен далее направиться.

Адмирал слегка качнул ухоженной седой головой:

— Я имею представление об этом. Знаете ли, слухи по Европе распространяются значительно быстрее, чем холера. А потом, русский царь Петр просто бредит морем. Частенько представляется в кабаках шкипером, и все эти разговоры доходят даже до моих ушей.

Принц насторожился:

— И что же вы о нем думаете?

— Весьма занятная личность. — Обветренные губы адмирала разодрала широкая улыбка. — Признаюсь, я бы хотел иметь в своей команде такого матроса... Но дело не в этом. Что вы хотите лично от меня?

— Скажу вам откровенно, адмирал. Я не из тех людей, которые способны прощать оскорбления. — Губы принца плотно сжались. — Русский царь должен поплатиться за это. Вы сказали, что представляете его дальнейший путь...

Всего лишь легкий кивок:

— Именно так. Он должен отправиться морем до Нидерландов.

— У меня к вам будет одна просьба... Потопите корабль Петра! С вашими талантами сделать это будет совсем не трудно. А потом, насколько я понимаю, в этом деле у вас имеется некоторый опыт.

— Разумеется. Мне ведь не однажды приходилось участвовать в морских баталиях, — сдержанно согласился адмирал.

— Ну вот видите. Лучше вас это никто не сделает!

— Тогда, герцог, у меня к вам будет встречное предложение. Вы мне предлагали деньги?

— Я плачу за работу.

— Так вот, прошу их взять обратно.

Старый адмирал положил на стол объемистую сумку. Внутри звякнул металл.

Принц нахмурился. Он вправе был рассчитывать на иное продолжение разговора:

— Я вас не понимаю.

— Я достаточно обеспеченный человек и не нуждаюсь в золоте. С возрастом начинаешь понимать, что главное в этой жизни — спокойствие!

От души слегка отлегло. Герцог даже попытался улыбнуться:

— Если вы отказываетесь от денег, то, следовательно, желаете заполучить нечто большее.

— Возможно, вы и правы. В нынешние времена слово настоящего дворянина стоит дороже.

— Так что же вы от меня хотите?

— Сейчас Голландия не та страна, какой она была во времена моей молодости или хотя бы двадцать лет назад, — неторопливо продолжил беседу старый пират. — Тогда помнили о прежних заслугах. Не то, что сегодня. Прежде каждый герой войны пользовался заслуженным уважением. Ныне все переменилось, и даже в прежних героях видят непримиримых врагов. — Адмирал испытующе посмотрел на герцога, но тот оставался невозмутим. — Вот хотя бы взять меня. Мне приписывают различные злодеяния, которых я не совершал, и порочат мое имя рьяного христианина. Признаюсь, я устал от этих нападок. Мне бы хотелось спокойно встретить старость в кругу своих домочадцев. Для своей страны я уже больше не герой. Все забыли о том, что когда-то я дрался с английской эскадрой и одерживал блистательные победы. — Подбородок де Витта горделиво приподнялся. — Сейчас они почему-то называют меня пиратом. Герцог, я бы не хотел лукавить... Я прошу вашего покровительства.

Всего такая малость за столь неоценимую услугу. Ободряюще улыбнувшись, принц произнес:

— Хорошо, адмирал. Я сделаю все возможное. В моих дворцах вы всегда будете желанным гостем. А теперь давайте перейдем к делу.

— Герцог, в моем распоряжении пять боевых судов. Так что русскому царю не уйти.

— Я очень на это рассчитываю.

Изящно поклонившись, адмирал ушел.

В окно герцог увидел, что де Витт явился в сопровождении небольшой свиты. Видно, они такие же отчаянные головорезы, как и сам адмирал. Старые, с длинными седыми прядями, свисавшими на широкие плечи, эти люди казались сделанными из кусков морской пены. Камзолы, в которые они были одеты, уже давно вышли из моды. Заметно помятые одежды выглядели так, словно тоже побывали в серьезных передрягах.

О чем-то перемолвившись, мужчины оседлали коней и направились к воротам. Наездники они были никудышные — при каждом шаге лошадей их раскачивало из стороны в сторону, как если бы они угодили в нешуточный шторм. Оставалось надеяться, что на палубе корабля эти головорезы чувствуют себя несравненно увереннее, чем в седле лошади.

Как только адмирал со своей свитой скрылся за ровной стеной кипарисов, герцог де Конти подошел к бронзовому бюсту великого Людовика II де Бурбон-Конде. В какой-то момент ему даже показалось, что губы полководца дрогнули. Принц де Конти положил узкую ладонь на плечо принца де Бурбон-Конде, как бы благодаря за молчаливую поддержку. Но потом неловко спрятал ее за спину: а оценит ли полководец подобную фамильярность?

Следует соблюдать субординацию даже с покойниками.

Но одно принц де Конти знал совершенно точно. Его славный предок не прощал нанесенных обид. И уж наверняка отыскал бы способ наказать человека, отнявшего у него корону.

О великом де Бурбон-Конде говорили всякое. Кроме легенд, превозносящих его храбрость, были и откровенные небылицы, придуманные врагами.

Утверждали, что герцог отличался невероятной надменностью, оскорбительной грубостью к подчиненным, его войска выделялись излишней жестокостью и были склонны к неоправданному насилию. Но все эти недостатки не перевешивали его главное достоинство — быстроту и натиск, снискавшему де Бурбон-Конде талант военного гения. Проживая в тени славы великого человека, нужно обязательно чему-то у него учиться. Главный урок — не затягивать с отмщением.

Ответ русскому царю будет столь же стремительным.

В какой-то момент де Конти послышался голос его великого воспитателя: «Я горжусь тобой, мой мальчик!» И Луи-Филипп счастливо улыбнулся.

Глава 7

НЕУЛОВИМАЯ ГРАФИНЯ

Несмотря на предпринятые поиски, отыскать Луизу так и не получилось. Трижды в гостинице встречали женщину, по описаниям очень похожую на графиню, но всякий раз она исчезала за несколько минут до того, как там объявлялись доверенные люди государя. Отчаявшись, Петр Алексеевич уже думал, что никогда не отыщет возлюбленную, но вчера вечером к нему в каморку заявился посыльный и, понизив голос, сообщил о том, что для бомбардира Петра Михайлова имеется письмо от знатной дамы. И вручил царю длинный чугунный ключ со множествами насечек на конце.

Вручив гонцу талер, Петр Алексеевич немедленно вскрыл конверт, пропахший духами. Это было письмо от Луизы. Уже в самых первых строках она удивила его своими признаниями в симпатии, просила соблюдать тайну и написала адрес, по которому ее можно отыскать завтра вечером.

Петр Алексеевич с трудом дождался следующего дня. Повелел денщикам вычистить камзол, до блеска надраить ботфорты, а когда часы отмерили положенное время, подхватил шляпу, висевшую на крюке, и заторопился к выходу.

Как выяснилось, Луиза жила в противоположном конце города. Наняв экипаж, Петр через полчаса был на месте. Поплутав малость, отыскал нужный дом и поднялся на второй этаж, где должна была находиться Луиза.

Перед дверями Петр Алексеевич придирчиво осмотрел себя. Кафтан под мышкой оказался разорван. Сам он никогда не обращал внимания на подобные мелочи, старался одеваться попроще, чем напоминал мелкопоместного дворянина.

Возможно, такой неприятности можно было бы избежать, не окажись у него на пути троих малолетних сорванцов. Заприметив нескладного верзилу, они долго топали за ним следом, невольно раскрывая тайну визита. Петр Алексеевич хотел прогнать их посохом, с которым никогда не расставался, даже подцепил одного за камзол, но пострельцы, обидевшись, принялись швырять камни, и государю оставалось только ретироваться, закрыв голову руками. Самого дерзкого он сумел ухватить за шиворот, но тот оказался настолько ловок, что сумел не только выскользнуть из его рук, но еще и ободрать полы кафтана.

Осмотревшись, Петр Алексеевич пришел к неутешительному заключению: как тут ни крутись, но прореха видна даже за версту. Оставалось надеяться, что нанесенный урон не станет камнем преткновения для вожделенного адюльтера.

Петр Алексеевич негромко постучал в дверь. Прислушался. Никого. Ошибиться он не мог, в записке указан именно этот дом. Что бы это могло значить?

Толкнув дверь, он обнаружил, что она открыта. Ключик не понадобился. Прошел в комнату. Никого. В распахнутое окно бил ветер, теребя занавески.

Государь уловил легкий аромат духов и вспомнил, что именно такие предпочитала Луиза. Комната небольшая. В углу — кровать. Правда, узковата для двоих, но если подключить воображение, то место может остаться...

Усевшись за стол, Петр Алексеевич решил дожидаться графиню. Не прошло и нескольких минут, как за порогом раздалось поскребывание, какое обычно случается, когда в дверь старается протиснуться собака. Петр Алексеевич поднялся, чтобы впустить приблудного пса, как вдруг она неожиданно распахнулась и в комнату со смущенной улыбкой вошел неимоверно тощий человек с вытянутой физиономией.

— Вы Питер? — спросил он.

Гибкий, тонкий, как ивовый прут, он без конца раскачивался, отвешивая поклоны. В какой-то момент Петру Алексеевичу показалось, что он надломится и ткнется лбом в секретер. Обошлось.

— Предположим. И что с того? — невесело поинтересовался Петр Алексеевич.

Гость говорил на хорошем немецком языке, аккуратно выговаривая каждое слово. Вот это и настораживало. На немца он был не похож.

— Фройлен Луиза просила сказать, что прийти не сможет. Вы ее не ждите. Она отбывает в Голландию и встретится с вами там.

— А ты кто такой? — недоверчиво спросил Петр Алексеевич. Уж не хочет ли он спровадить нежелательного соперника?

— Я ее поверенный.

Гость не уходил, продолжая разглядывать государя.

— Ну чего встал? — буркнул Петр. — Ступай! Без тебя как-нибудь разберусь.

Посыльный ушел, а Петр Алексеевич остался в комнате. Он во что бы то ни стало хотел увидеть Луизу. Вскоре в дверь опять постучали. Оказывается, графиня живет очень насыщенной жизнью. Или он пришел в день визитов?

— Входите, кто там? — невесело пригласил Петр.

На пороге появился невысокого роста человек весьма напыщенной внешности. Его тяжеловатый взгляд впился в лицо государя.

— Кто таков? — недружелюбно поинтересовался Петр.

В ответ лишь сдержанный поклон.

— Вам наилучшие пожелания от саксонского курфюрста Фридриха Августа I, отныне — польского короля Августа II.

— Вот так новость! Как вы меня нашли?

— Это неважно... Он благодарит вас за помощь и хочет видеть вашу милость в Варшаве.

Петр Алексеевич насторожился:

— А с чего это вдруг я тебе должен верить? Мне посол об этом ничего не сказывал.

Вытащив грамоту, саксонец протянул ее Петру. Внимательно оглядев свиток, царь убедился в его целостности. Печати на месте. На одной из них оттиск с короной. Потянув за ленту, разорвал печати и, развернув бумагу, принялся читать: «Брат мой Питер! Кланяется тебе твой должник курфюрст саксонский и король Польши Август II. Благодарю тебя за помощь и уверяю, что остаюсь верен антитурецкому союзу. Хотелось бы увидеть тебя в Польше и пожать твою дружественную руку. Надеюсь на скорую встречу».

Петр Алексеевич свернул грамоту. Вот так-то! Как тут инкогнито сохранить, когда любой посыльный знает, что с царем беседует?

— Скажи Августу, что буду у него непременно.

— Когда, Питер?

— Может, через месяц и заявлюсь, — неопределенно пообещал царь. — Как будут складываться дела.

Видно, Луизу сегодня не дождаться. Петр вышел и тщательно закрыл дверь.

Уже спускаясь с лестницы, он сильно ударился головой о перекладину. Смачно выругавшись, потопал дальше, проклиная низенькие иноземные пролеты.

Выходя на улицу, Петр Алексеевич едва не столкнулся с двумя высокими мужчинами крепкого сложения. Тот, что постарше, имел усы и бороду клинышком; в правом уголке рта — небольшой шрам, который, впрочем, совершенно его не портил; у молодого были короткие стриженые усы. Из-под длинных плащей выглядывали шпаги, колыхающиеся при каждом шаге. Почти не задерживаясь, они поднялись на второй этаж и почти одновременно вытащили оружие.

— Тебе все ясно? — остановившись, спросил тот, что был постарше. — Отсюда он должен выйти только вперед ногами.

— Да. Но как быть с графиней?

Секундная пауза завершилась решительным ответом:

— В этом деле она будет лишней. Ее нужно уничтожить. Таков приказ!

— Она красивая, барон, — отвечал молодой с явным сожалением. — Мне посчастливилось провести с ней ночь.

— О том, что она красивая, я знаю больше, чем кто-либо, — выделяя каждое слово, произнес бородач. — Но что поделаешь! Этого требуют государственные интересы. Я постучусь к ней в комнату. Она знает мой голос и обязательно откроет. Но предупреждаю: как только отворится дверь, следует действовать, не мешкая.

— Я все понял.

— Вот и отлично. — Постучав в дверь, бородач негромко произнес: — Графиня, это я, барон Валлин. У меня для вас есть важная новость. От короля!

За дверью была тишина.

— Похоже, она не хочет нас пускать, — предположил молодой собеседник.

— У нас нет другого выхода. Давайте высаживать дверь. Вы готовы? И... раз!

Косяк треснул.

— Еще один разок!

Дверь широко распахнулась, ударившись о стоявший в прихожей шкаф, и барон вместе с напарником ввалились в комнату.

Их встретила пустота. Никто не взвизгнул от ужаса, никто не вымаливал пощады.

За занавеской было заметно какое-то слабое движение. Барон кончиком шпаги приподнял тяжелую портьеру.

— Ничего.

— Ветер.

— Мне кажется, что нас провели, — обескураженно произнес он. — Другой подходящий случай нам может очень долго не представиться.

— Вот только что мы скажем королю?

— Пойдем отсюда. Нам не следует здесь оставаться.

Развернувшись, барон заторопился к выходу, увлекая за собой молодого напарника.

Глава 8

НА ДЫБУ БЫ ЕГО!

Поздним вечером подле дома, где расквартировался Петр Алексеевич, обнаружили молодца в плаще. Румянцев припомнил, что видел его и раньше, в Риге, опять-таки неподалеку от жилья государя.

Подобные совпадения не бывают случайными. Видимо, вражина задумал дурное.

Изловчившись, супостата повязали и поволокли в подвал.

— На дыбу бы его, — произнес князь. — Да где же ее тут взять-то? Не просить же об этом курфюрста.

— Верно, не попросишь, — соглашался стольник Патрикеев.

Высоченный, потный, раскрасневшийся, в рубахе навыпуск, он напоминал заплечных дел мастера Преображенского приказа. Воткнув за голенище плетеный кнут, он вытер потное лицо рукавом рубахи.

Тяжела работа палача!

За хороший почерк и недюжинную грамотность некогда он был определен Петром Алексеевичем в писари. Однако канцелярию неизменно сочетал с пыточными делами, в чем немало преуспел. И охотнее брался за кнут, нежели за перо.

Душу писаря тронули какие-то воспоминания. Широко улыбнувшись, он показал свои огромные зубы, напоминающие лошадиные, и почти мечтательно продолжил:

— Дыба — это хорошо... Когда вороток-то крутишь, суставы трещат, наружу выскакивают, а слова у злодея сами наружу просятся. Пару раз так крутанул, что все мне выложил.

В комнате было жарко. Взяв со стола скомканную тряпицу, Патрикеев обмакнул отсыревший лоб.

— А можно и клещами! — Его лицо вдохновенно преобразилось. По всему видать, тема была выстраданной и занимала все воображение. Глядя на него, охотно верилось, что о пытках писарь канцелярии знает куда больше палача из пыточной избы.

— Желательно их на костре раскалить. Докрасна! Потом же взять за грудину да и вытянуть всю правду по словечку. А то и щипцами можно. Ими куда угодно пролезешь. Ляжки особенно хороши. Так их прижжешь, что он все слова выложит... Хе-хе-хе! Даже то, чего не знал. А потом враскоряку будет шастать. Вот она, потеха! Я тут как-то по городу ходил, на площадь забрел, а там народу тьма собралась. Думаю, что же это за представление такое будет? Оказалось, что весь народ на казнь сбежался. Колесование. У нас такого нет. Ты бы, Петр Алексеевич, присмотрелся к этому. В нашем деле весьма полезно будет, — хитроватые глаза писаря прищурились. Такое впечатление, что он на собственной шкуре испытал, что такое колесование. — Крутанул разок и кишочки-то наружу.

Пленный сидел на стуле, тощие руки были стянуты за спиной узкой бечевой. Голова опущена на грудь, глаза закрыты. К происходящему он уже давно утратил всякий интерес. Возвращаясь из забытья, он негромко постанывал и вновь погружался во тьму.

— Ну глянь на него! — восторженно кричал Патрикеев. — Волосья-то какие отрастил! Прямо баба какая-то. Сзади-то поглядишь, так и не отличишь от нее вовсе! — Приподняв подбородок пленного, Патрикеев спросил ласковым голосом: — Ну что скажешь, милок? Кому ты грамоту-то нес?

— Хе-хе-хе! — рассмеялся Матвей. — Да ты ему по-русски говоришь, а он ведь по-нашему не разумеет!

— А я думаю, что же он на меня глаза как-то по-особенному таращит? Кому письмо ты вез, рожа заморская?!

Петр порывисто поднялся:

— Пойду я. Разберитесь без меня.

— Государь, тебе бы поостеречься нужно, — предупредил Патрикеев. — Вон как против тебя ополчились! Того и гляди, прирежут в какой-нибудь подворотне, а ты любишь по дворам расхаживать. Ну разве мало тебе девок? Да чего она тебе сдалась! Если хочешь, так мы тебе любую из них приведем. Ты только скажи.

— Устал я от вас, — обреченно отмахнулся Петр Алексеевич. — Пойду, поброжу немного.

— А с ним-то чего делать?

— Напоите до бесчувствия да бросьте где-нибудь на улице.

— А если того?.. Он тебя, Петр Алексеевич, погубить хотел? Письма убивцам нес, где тебя можно подкараулить.

Почесав в задумчивости затылок, царь признался:

— Перед курфюрстом прусским как-то неудобно, авось прознает. Как-никак мы у него в гостях. Что тогда? Он ведь меня братом в письмах называет, инженеров да оружейников в Москву присылает, а ему неприятности. Нет, вы уж лучше его под зад коленом. Да покрепче, чтобы помнил!

* * *

Следующий вечер Петр Алексеевич провел в ожидании курфюрста. Весело ждал. С выдумкой. Девок понагнал со всего обоза, что следовали с Великим посольством. Одних шутих только две дюжины. А кроме того, привели девиц с таверны, доступных и характером легких.

Когда ожидание затянулось, Петр Алексеевич повелел всем гостям выйти в сад, где запалил фейерверк собственного изобретения. Вылетевшие петарды осветили половину неба, зато две другие отлетели в соседний дом и, выбив окно, запалили квартиру. Потеха усилилась, когда дородный хозяин вместе с молодой женой, сверкая обнаженными телами, выскочили на улицу, выкрикивая проклятия разудалому царю. И обещали пожаловаться на его потехи бургомистру. Только когда Лефорт вручил им два кошеля, набитых золотыми монетами, извиняясь за причиненные неудобства, инцидент был исчерпан.

Гонцы от курфюрста появились в тот самый момент, когда терпению царя уже подходил конец. Не желая унылым видом портить настроение собравшимся, они до земли поклонились Петру, сидящему в центре стола, и сообщили о том, что курфюрст неожиданно занемог и велел его простить.

Осерчавший Петр, ухватив гонцов за шиворот, вытолкал их в толпу шутов, которые и спровадили их из гостиной под громкое улюлюканье.

Веселье набирало размах, захватив безумством соседние трактиры. Закончилось оно в тот самый момент, когда из ближайших погребов была вынесена последняя бутылка.

* * *

В торговый день Китай-город многолюден. По воскресеньям здесь кипела жизнь. Торг, разбитый на ряды, был многословен и суетлив. Между рядами продавалась снедь. Возвышались харчевни, сбитые из крепкого бруса. В немалом количестве встречались питейные погреба, к которым чинно выстраивался люд. Тут и там стояли квасные кади, у которых также бойко шла торговля. За мясными рядами выстроились лари с рубцами, далее протягивался рыбный ряд, где вместе с печеной продавали и живую рыбу из огромных кадок. Хмельные ротозеи толкались там, чтобы взглянуть на диво. Во фряжном ряду была та же сутолока. Вино продавали на вынос в кувшинах, а то и в кружках. Торговля не затихала даже на минуту. Не отходя от гостиного ряда, бражники пропивались до исподнего и, не утолив хмельную душу, ненавязчиво выпрашивали грошик у удачливых купцов. Боясь спугнуть удачу, те охотно и весело расставались с гривенниками, которые тотчас пропивались у питейного погреба.

Натянув шапку на самые брови, Егор переходил из одного ряда в другой, вслушиваясь в беспечные разговоры. На первый взгляд ничего крамольного — купцы были заняты своим товаром. Расхваливая его на все лады, покупатели придирчиво и строго всматривались в предложенный товар, немилосердно и рьяно торгуясь за каждый грошик.

Не задерживаясь, Егор двинулся дальше, к сапожному ряду. Как бы ненароком оглянулся и увидел, что солдаты из Преображенского приказа, переодетые в крестьян, не отстают и топают за ним следом. Пользуясь предоставленной свободой, детины весело переходили от одной лавки к другой, от погреба к шалашу, примеривались к каждой снеди, как если бы их карманы были полны серебра. В действительности у них на всех был один рублик, не-

весть каким образом оказавшийся в их казенных
карманах. Всего лишь ненадолго рекруты задержались подле веселой молодой женщины, которая,
подмигивая, предлагала зайти внутрь для удовольствия. Собравшись гуртом, молодцы, очевидно,
размышляли, как потолковее распорядиться ценным рубликом, но, натолкнувшись на строгий
взгляд Егорки, двинулись далее, обещая девке заглянуть в следующий раз.

Масляным рядом, веселя торговый и праздный
люд, прошла толпа скоморохов и шутов, наяривая
на гудках да сопелях. А следом за ними в шутовских
колпаках, потешно перебирая кривенькими ножка-
ми, шествовали карлик и карлица. В руках у каждого — по большой шапке, куда медным дождем сы-
палась мелкая монета.

— Подайте Христа ради, — протяжно и заунив-
но раздалось у пивных кадей, выстроившихся рядком; здесь было любимое место юродивых и шутих.

Народ сюда заявлялся незатейливый, простой,
для того, чтобы выпить ядреного кваску да посуда-
чить в очереди, а потому всегда можно рассчитывать на копеечку.

Остановившись у одного из шалашей, Егор
прислушался. Говорили о разном, но в основном о
своем. Кряжистый мужик, прижимая медный кувшин с пивом, жалился о том, что третьего дня на
Крестцах в выставленном покойнике опознал шу-
рина, сгинувшего в Замоскворечье с неделю назад.

Пожалился. Повздыхал. А потом запил печаль
полкувшином пива. Живехонько блеснули глазенки. Кажется, от души малость отлегло.

Ничего такого, что могло бы оскорбить честь

государя или князя Ромодановского. Обыкновенные пьяницы, больше озабоченные тем, чтобы влить в непомерные утробы хмельного зелья.

Вот еще один притон в виде крепкой избы, подле которой стояли две молодые бабы. Через нижнюю губу одной из них были продеты два бирюзовых кольца. Огляделся Егор, осмотрел фигуры. Платья неширокие, и телеса просматриваются славно. Если потискать малость, ладони приятность будет.

— Эй, милок! Чего же ты заглядываешься? Заходи! — звонко выкрикнула вторая, помоложе да покрасивее. — Такую сладость, как у нас, ты нигде более не познаешь, — проговорила она многообещающе. — Даже девки в Кокуе про такое не знают.

Егорка остановился, с интересом посмотрел на девку: интересно, о чем же таком девки с Кокуя не ведают? В какой-то момент Егор даже засомневался, а не зайти ли! Но раздумал: на вид уж больно простовата. Ей бы только коров за Земляным городом пасти.

«Чуден твой промысел, господи!» — усмехнулся Егор. Хотя, с другой стороны, можно было бы, конечно же, и заглянуть, да вот государевы дела не позволяют!

Приняв вид беспечного покупателя, Егорка переходил от одного ряда к другому. Весело перебрасывался шутками с девками, беззастенчиво торговался с купцами, прося снизить цену на понравившийся товар и, не добившись желаемого, разочарованно следовал далее.

Странное дело, но за те два часа, что он провел на базаре, продираясь сквозь множество тел, он не услышал ни одного крамольного слова о государе. Походило на то, что в умах царских подданных вдруг неожиданно произошла какая-то переоценка, и все от мала до велика возлюбили Петра Алексеевича пуще собственного глаза.

Чудно все это!

Хотя, с другой стороны, объяснимо. Давеча в Ямской и Болвановской слободах князь Ромодановский повыловил изменников, а многих за злой язык лишил живота. Вот они и примолкли.

Глянув разок назад, Егор увидел, как сопровождавшие его рекруты заскучали. Ряды были заставлены всевозможной снедью и лакомствами, благоухающими вкусными запахами, а тут вместо плотной трапезы приходится довольствоваться только видом съестного.

Протопав мимо Ильинского крестца, Егорка вышел к Сапожному красному ряду. Перекрестившись на собор Покрова Пресвятой Богородицы, потопал дальше.

«Видно, сегодня изменщиков не выловить, придется в другой раз пойти», — удрученно подумал сотник.

— А чего казнил-то? — неожиданно услышал он за спиной негромкий голос.

Егор насторожился. Повернувшись немного, исправник узрел купца в ладном кафтане с бисерным узором, обутого в кожаные татарские сапоги.

— Да сдуру! Ишь ты, не жалко ему стрельцов, а у каждого по дюжине деток осталось. Кто же их прокормит! — посочувствовал он убиенным.

— Слово и дело государево! — завопил отчаянно Егор, ухватив купца за плечо. — Взять его за непристойные речи!

Лицо купца перекосилось от ужаса.

— Да что же вы, братцы! Да бес попутал! Не язык у меня, а помело. Сам не знаю, чего и говорю!

Сподручные будто только и ждали приказа. Стряхнув с лиц скуку, они устремились навстречу стольнику, усиленно распихивая локтями преграды из живых тел. Купца немилосердно повалили наземь. Наподдали для порядка несколько раз ногами, а затем, скрутив запястья жгутами, поволокли с торговой площади.

Глава 9

СЫСК
ПРЕОБРАЖЕНСКОГО ПРИКАЗА

Федор Юрьевич просматривал подметные письма. Презабавное это занятие! Чего только не узнаешь о своих холопах! Но больше все пустое. Пишут о блуде, о воровстве, о бесовском поведении. На таком сыск не построишь. А Преображенский приказ был едва ли не любимым детищем Петра Алексеевича. В часы неясной тревоги он заявлялся в приказ, не известив, и без всякого разбора читал протоколы и ябеды. Любил даже поучаствовать в следствии, а то и вовсе выносил приговоры. Так что, зная крутой нрав государя, Федор Алексеевич старался доводить всякое дело до конца, а в бумагах стремился хранить надлежащий порядок.

Следовало отвлечься от бумажных дел, а то от усердия рябило в глазах. Боярин поднялся с кресла, попятился, не жалея суставов и, взяв медный кувшин со стола, принялся подлечивать поистрепавшийся в государственном правеже организм.

Пиво было холодным, только что принесенным из подвала, а потому не могло не радовать желудок, истомившийся по хмельному зелью.

Установив пузатый кувшин с остатками пива на стол, Ромодановский, надрывая голосовые связки, проорал:

— Егор! Поди сюда!

На зов князя мгновенно предстал верный исправник. По всему видать, он был оторван от весьма приятного занятия: в жиденькую бородку вкрались струпья квашеной капусты, на кафтане — мокрые пятна, видать, рассол.

— Ты что, как пес, что ли, лакаешь? — пробурчал невесело князь, оглядывая стольника.

Виновато хихикнув, тот отвечал:

— Это все от усердия, Федор Юрьевич. Как услышал твой голос, так ложку до рта не донес, сразу побег!

— Уж больно ты старателен, — пробурчал Ромодановский. И поди разберись тут — не то укорил, не то похвалил. — Капусту с бороды стряхни... Да не в палатах же моих, дубина ты стоеросовая! В сени ступай!

— Мигом я, Федор Юрьевич, — скрылся за дверью исправник.

Через минуту он вернулся.

— Вот что, Егор, кто у нас там в главных по «слову и делу государеву»?

— Емеля Хворостин, протодьякон.

— В чем повинен?

— Царевну Евдокию на базаре прилюдно жалел. Говорил, что бестолков царь да по бабам большой охотник, а о своей женушке не думает.

— Помню нечестивца, — выкатил хмельные глаза Федор Юрьевич на исправника. — Веди протодьякона!

— Это я мигом! — ящеркой выскользнул через приоткрытую дверь Егорка.

Не прошло и пяти минут, как за дверями брякнуло железо, а потом негромкий голос сурово потребовал:

— Проходь давай! Князь дожидаться не станет, враз кнута присудит!

Дверь широко распахнулась, и в палаты, сгорбившись под тяжестью железа, вошел еще не старый человек с изможденным лицом. Линия губ прямая, жестковатая. На руках и ногах — кандалы, сцепленные между собой тяжелой цепью. По обе стороны, явно скучая, стояли рекруты. Эдакие простофили, вымахавшие под самый потолок. Один от безделья ковырялся перстом в носу, другой таращился на князя.

— Жалостливый, значит? — посуровел Федор Юрьевич.

— Не более чем другие, князь, — смиренно отозвался протодьякон.

В глазах ни страха, ни отчаяния. Одна покорность — как сложится, так тому и бывать!

— Смел, однако! — не то подивился, не то похвалил Федор Ромодановский. — А только глуп! Ежели государь наказал, так перечить не смей. Вот и накликал ты на свою бесталанную голову погибель. Едва успеваешь головы рубить, а народец в кандальные палаты все прибывает и прибывает.

— Значит, судьба такая, князь.

— Что ты скажешь в свое оправдание, холоп?

— Не в чем мне оправдываться, князь. Хулу на государя не говорил, а Евдокию пожалел, как бабу. Ей-то с ребятишками мыкаться. Несладко им без мужниного глазу!

Глянув в бумаги, Ромодановский возразил:

— А вот тут от нарочного посыльного весточку получил, что знался ты с дурными людьми, кои государя в кабаках оговаривают, хулу на него возводят. Вот ты от них и поднабрался дурного!

— Не было такого, Федор Юрьевич, — уверенно произнес кандальный.

— Не было, говоришь? — усмехнулся Федор Юрьевич. — А дьяка бородатого помнишь, что тебя вином угощал? Чего же ты рот-то открыл? Никак ли с перепуга? Это верно, надо меня бояться. Я ведь с тобой все что угодно могу сотворить, и спрашивать меня никто не станет. Может, ты и теперь отпираться станешь?

— Поносят меня, князь! Оговаривают!

— Проняло тебя. Вот и голосок задрожал. Так что ты про меня такое говорил? Молчишь. А мне ведь ведомо. Хочешь, я сам расскажу? А говорил ты вот что. Будто бы я спать не ложусь до тех самых пор, пока человеческой крови не отведаю. Вот считай, что я нынче сполна испил... Да и внешность ты мою образно обрисовывал, говорил, что собою видом страшен, нравом злой тиран, превеликий нежелатель добра никому, а еще к тому же пьян во вся дни. Али не так? — прищурился князь. — А что поделаешь, протодьякон, служба у меня такая. Если бы не моя служба, так Петра Алексеевича давно бы сокрушили всякие лиходеи. Стража! Уведите его. Пусть в подземелье посидит. Немного ему осталось.

— Что там еще сегодня? — спросил Ромоданов-ский, когда колодника увели.

— Тут стрельцы с Азова челобитную написали.

— А этим-то чего надобно? — недовольно про-бурчал князь.

— Жалуются на службу, Федор Юрьевич, — охотно отвечал исправник. — Пишут, что денег много месяцев не выплачивают. Кормежка плохая, болезни да хвори разные одолели. По семьям соску-чились. Будто бы отправили их на Азов на три ме-сяца, а уже год минул.

— Челом государю бьют? — нахмурился глава приказа.

— Государю, — живо отозвался секретарь.

— Так чего же ты мне не передал? Олух царя небесного! — осерчал князь. — Ведь теперь я на Ру-си вместо государя! Где бумага?

— Вот она, Федор Юрьевич! — подскочил Егор-ка, передавая Ромодановскому скрученную грамоту.

— Это те самые, что из-под Азова?

— Те самые, батюшка. А полковники у них Ко-заков, Черный да Чубаров.

— Сам гляну, — буркнул невесело Ромоданов-ский. — Ты мне свечи-то пододвинь. Чего слеп-нуть-то зазря!

«Батюшка наш государь Петр Алексеевич, — углубился в чтение князь. — Пишут тебе холопы твои, стрельцы из города Азова. Бьем тебе челом на скудное наше житие. Уже минуло более года, как не видели мы своих жен да детишек малых. С тех самых пор, как отъехали мы из Москвы. Волей твоей царской остались мы после турецкой кампании в Азове для очистки города и строительства укреплений. Тяготы службы познали сполна. Прошлым летом волею твоей, великий государь, велено было нашим полкам идти на север в Великие Луки, но никак не к семьям нашим, как было обещано. А ведь мы, государь, после турецкой кампании побиты изрядно, едва ли не половина убитыми и почти каждый из нас ранен. Нам бы передохнуть в Москве, помиловаться с женами, повидать детишек. Но волею твоей, государь Петр Алексеевич, проглотив обиду, мы потопали к литовской границе. Да вот только путь оказался неимоверно тяжел. Помня твою милость и воздавая хвалу Господу, мы тянули по реке суда с оружием и припасами. Все лошади сгинули в турецкой кампании да пали по дороге от голода и язв, а потому мы тащили пушки вместо лошадей денно и нощно. До места службы добирались подаянием, без хлебного жалованья, и пришли чуть живым...»

Федор Юрьевич поднял помрачневший взгляд на стольника и спросил хмуро:

— Сам-то читал?

— А то как же, князь! Читал! И даже не единожды!

— Вот потому показать не захотел?! — осерчал князь. — Сослать бы тебя на вечное житие!

— Помилуйте, батюшка! — бухнулся Егорка на колени. — Да за что же! Ведь верой и правдой!

— Ладно, нехристь, поднимайся! Накажу еще, успеется.

«...Цельную зиму стояли мы на литовской границе в лютые морозы, — вновь принялся за чтение Ромодановский. — Опять запросились домой к женам да к детишкам малым, но вместо этого закрепили нас в Великих Луках на позор, безо всякого кормления. Бьем тебе челом, великий государь, только ты один и можешь помочь нашей беде. Пожалей нас своей милостью и отправь нас к нашим женам в Москву. Обидчики наши московские бояре да князья Федор Юрьевич Ромодановский, Тимофей Николаевич Стрешнев, Илья Борисович Троекуров. Заступись за нас, верни нам жалованье, что они присваивают себе, и накажи за то, что довели до срама и нищеты верных твоих холопов. Полковники московских стрелецких полков Иван Козаков, Яков Черный, Андрей Чубаров».

— Вот оно что, — в задумчивости протянул Федор Юрьевич. — Значит, они государю писали?

— Получается, что так, Федор Юрьевич.

— Они сейчас в городе?

— Покудова здесь, — отозвался стольник. — Да ты не тревожься, князь, я верных людей приставил за ними досматривать, — махнул он широким рукавом. — Коли что будут дурное затевать, так они тотчас узнают.

— И чего же они в городе делали?

Пожав плечами, отвечал беззаботно:

— А чего им еще в Москве делать-то? Женок навестили, с детишками на крыльце поиграли, а потом разбрелись по кабакам тоску залечивать. На питейном ряду бузу учинили.

— А это-то с чего? — подивился князь.

— Купец с Ярославля не пожелал им вино в долг давать, вот они лавки и перевернули.

— Базарная стража была?

— А то как же! Только ведь они подходить к ним боялись, все в сторонке стояли.

— Что ты о них думаешь?

— А чего тут думать, Федор Юрьевич, надобно с ними разобраться. Ежели такая силища к Москве подойдет, так с ними просто сладу не станет. Год назад они в числе зачинщиков были, жалованье им, видишь ли, за три месяца не выплатили! Насилу откупились, а теперь так неизвестно, чем закончится.

— Ты вот что, исправник! Об этом письме государю не докладывай, — строго наказал князь. — У него за пределом и без того хлопот немало набирается. Сами разберемся! Глаз с бунтовщиков не спускать и о каждом их шаге лично мне докладывать. Жалованье им выдать... Пущай поостынут!

— Не воины они, а пакостники! Все за огороды держатся да за бабьи подолы, только смута одна от них!

— Ох и хлопотное это дело — за все государство отвечать, — с горечью отозвался князь.

— Федор Юрьевич, так что же делать-то будем? Стрельцы с тобой встречи добиваются.

— А надо ли мне с ними встречаться?

— Это уж тебе решать, Федор Юрьевич. Говорят, пока с князем Ромодановским не повидаемся, с Москвы не съедем. А если князь не пожелает, так мы другие стрелецкие полки на смуту подобьем.

Князь Ромодановский тяжко вздохнул:

— С них станется. Год назад едва смуту погасили, так они опять по новой мутят. Вот что, исправник, встречаться с ними я не стану. Поговоришь с ними сам. А про меня скажешь, что занедужил я крепенько.

— Все передам, батюшка. А если в Москву начнут проситься, что тогда им сказать?

Федор Юрьевич горько хмыкнул:

— Мало у нас в приказе хлопот, теперь еще и стрельцами приходится заниматься... Скажешь им вот что... Переведем в Москву на следующий месяц. А как они успокоятся, так отправим с семьями на вечное житие в украинские города! Нечего им здесь смуту подымать!

— Понял я тебя, Федор Юрьевич, так и передам.

— Ох, день нынче долгий. Что там еще? Какие слухи по Москве гуляют?

— Ропщет народ, батюшка, — честно признал исправник. — Непристойные речи глаголит, Петра Алексеевича «пьянчужкой-царем» называют да «царем Кокуйским»...

— Ишь ты! — аж поперхнулся Ромодановский.

— ... Дескать, не ведают, в какую сторону он святорусскую землю и матушку Москву повернет. А еще говорят, что подати высокие, что год от года все хуже становится. А как государь съехал, так правды на Руси и вовсе не доискаться. Тебя во всем винят, Федор Юрьевич.

Губы князя перекосило от едкой усмешки:

— А кого же им еще винить, коли не меня? Чай, на Москве я теперь за хозяина. Что там еще такого болтано?

— Хлеб подорожал, мясо дорогое, только по праздникам и приходится отведывать. Но более всего говорят о том, — голос исправника перешел почти на шепот, — что, дескать, помер государь на чужбине, а вместо него пришлые людишки заправляют.

— Вот как?! — подивился Ромодановский.

— На всех базарах только о том и болтают.

Такое дело без пития не переварить. Подняв кувшин, он жадно поглощал пиво, оттопырив нижнюю губу. А когда в утробу провалился последний глоток, князь сытно икнул и потребовал продолжения рассказа:

— О чем еще роптание?

— О тебе худое молвят, князь, монстрой да кровопийцей называют!

— Не ново! — вяло отмахнулся Федор Ромодановский. — Дело говори!

— А еще говорят, что на царствие нужно Софью Алексеевну ставить, только она одна порядок навести может.

— Крамольников отлавливаете?

— А то как же без того, Федор Юрьевич! — горячо заверил дьяк. — Все ямы и кандальные палаты ими забиты.

— Кто из них самый говорун?

— Федька Савельев, попов сын.

— Откуда родом?

— Из Переславля.

— Пусть приведут. Поговорить желаю.

Скоро стража привела изможденного узника — долговязого, неимоверно тощего. Тело его иссохло так, что одежда на нем висела мешком. Рыжая борода, собравшись клинышком, посматривала в сторону. Волосы у колодника были густые и длинные, а вот на самой макушке пробивалась светлая поляна. На тонких руках — несуразно тяжелые кандалы.

— Сядь! — кивнул начальник приказа на.лавку.

Лавка была старая, низкая, до блеска отполированная седалищами узников.

— Чего ты там про государя злословил?

Федор Юрьевич пытался рассмотреть на его лице нечто похожее на страх, но тот взирал на удивление спокойно, как если бы оказался не в Преображенском приказе, а за околицей батюшкиного дома.

«Неужто не ведает, куда попал? — Федор Юрьевич глядел на кандальника с интересом. — Из Преображенского приказа только два пути — на каторгу или на погост».

— То, что по всей России уже давно высказывают. От государя уже давно известий никаких нет. Сгинул он на чужбине! Даже неведомо, где его могилка.

— Сгинул, говоришь. Глянь вот сюда, — поднял князь лежавшую на столе грамоту. — А это что тогда?

— Мне почем знать?

— От великого государя посланьице. Живехонек он, чего и нам всем желает. И знаешь, что он пишет?

— Не ведаю.

— А пишет он о том, чтобы таких смутьянов, как ты, я своей властию наказывал. Всех тех, кто дурные слухи о царе-батюшке распускает.

— Ты бы, князь, по базарам прошелся, так еще и не такое бы услышал.

— Ты, попович, не дурачься, — строго заметил

князь. — Не в богадельню попал, а в Преображенский приказ.

— Чего же мне трудиться, князь, ежели отсюда только в одну сторону? — хмыкнул попович. — На погост!

Князь Ромодановский с интересом посматривал на колодника. Перед ним стоял человек редкого мужества. Иных только от одного вида судьи приказа в пот прошибает, а этот лишь глаза сузил.

— Вот как ты заговорил... Чем же ты так крепок?

— Молитвами, князь, — смиренно ответил попович.

Заполучить бы такого в соратники. Гниль одна вокруг, опереться не на кого.

— Складно отвечаешь, попович, а вот только на бога надейся, да сам не плошай. Не ведаю чем, но приглянулся ты мне, попович. Иные прежде чем до пыточной дойдут все смрадом изойдут, а ты держишься так, как будто тебя в кабак привели. Силен! Ну так что, поверил, что государь жив?

— Поверил, князь.

— А хочешь знать, о чем он дальше пишет?

— Не моего ума это дело.

— А ты, оказывается, нелюбопытен. Ох, по нраву ты мне приходишься, попович! — Подняв грамоту, князь Ромодановский принялся читать: — «...А тебе, кесарь-цезарь Федор Юрьевич, низко кланяюсь и прошу об одном, уговори Евдокию уйти в монастырь. Не люба она мне...»

Попович невольно сглотнул слюну.

— Слыхал?

— Чай не глухой, — тихо отвечал попович.

— Вот это и есть государева тайна. И как ты думаешь, попов сын, уговорю я царевну уйти в монастырь? Али нет? — хитро сощурился Ромодановский.

— Неведомо мне, князь, — растерянно произнес попович.

— А вот я тебе могу сказать наверняка. Уговорю! Поначалу я приду к ней, как холоп, просящий милости, чтобы послушала приказ великого государя Петра Алексеевича и отправилась в монастырь. — Подумав малость, добавил: — Если потребуется, так в ноженьки ее царские бухнусь. Чего же ради государевой службы не сделаешь! А вот если откажет, тогда уже другой разговор. Возьму ее за волосья, как простую девку, и уволоку на телегу. — Привстав, князь Ромодановский приблизил лицо к поповичу. Тот не отшатнулся, выдержал режущий взгляд. — И на позор повезу по всей Москве в монастырь! Думаешь, не посмею?

— В твоей власти, князь.

— Верно глаголишь. Еще как посмею!

Лицо у князя Ромодановского было круглым, заметно припухшим от ежедневного пьянства. Нос крупный, пористый, с некрасивыми синими сосудами.

— Посмеешь, князь, — отвечал попович.

В крупных глазах Федора Савельева произошла какая-то перемена. Это был еще не страх, а скорее некоторое осознание того, что его земной путь может завершиться в яме Преображенского приказа. А умирать-то ой, как не хочется!

— Посмею... То, что я тебе прочитал — государева тайна! Для чужих ушей не предназначенная, а потому, попов сын, у тебя две дороги — или упокоиться под топором палача, или служить в Преображенском приказе... Ты поначалу подумай, прежде чем несогласием обидеть, помереть ты всегда успеешь. Уж не сомневайся, я из тебя все вытрясу, даже то, чего ты никогда не ведал. Подвешу на дыбе, да кнутами, кнутами! Не многие такое выдерживают! Видишь, в самом углу печка чугунная стоит? Мы в ней щипчики накаливаем... Я уж и не буду тебе говорить, что мы потом этими клещами с кандальниками делаем. Да тут и воображать не нужно особо, сам все поймешь... Ну так что скажешь мне, попович?

— Хорошо, князь. Буду служить в твоем приказе, а только не из-за страха, а из-за правды. Надо же кому-то и правдой заниматься.

— А ты думаешь, мы из-за кривды государю служим? — насупился было Ромодановский. — Вот что я тебе скажу, попов сын. Там, где государево слово, там и правда! А другой не бывать! Стража!

Позвякивая саблями, в комнату ввалились три молодца. Недобрым взглядом окинули Федьку Савельева.

— Перепугал ты нас, батюшка! Мало ли...

— Что же вы такие пугливые? А ну скидайте с поповича оковы! Да кафтан принесите. Не простой, а из парчовой ткани. Мы своих слуг одаривать умеем. А еще и жалованье хорошее получать будешь. А коли справляться станешь, так кое-что и от своих плеч добавлю. Мы хороших работников ценим.

Подьячий принес парчовый кафтан. На локотках слегка протерт, но зато не драный. И бережно положив его на лавку, спрятался в углу.

— А ну примерь! — распорядился Ромодановский.

Перечить Федька Савельев не стал. Подняв кафтан, надел без видимой охоты. Глянул на покрой — крепко сшито, но с чужого плеча. Наверняка сняли с какого-то горемычного.

Но ведь не спросишь!

— Эко, какой молодец! Как на тебя сшит. А теперь давай рассказывай, что тебе ведомо.

— В Ярославле на базарной площади повстречал купца. Товар он вез в Москву. У него свояк в московских стрельцах. Так вот он сказывал, что стрельцы службой государевой недовольны. Того и гляди, бунт поднимут.

— Как зовут купца? — строго вопрошал князь.

— Тимофеем кличут... Степанов.

— Записал? — обратился Ромодановский к подьячему, поскрипывающему гусиным пером.

— Успел, батюшка.

— Далее.

— Говорил, что турецкая кампания все соки из стрельцов повысасывала. Житие худое, более половины из них под Азовом в боях сгинуло. Обнищали совсем.

— Как зовут стрельца?

— Фрол Кречетов, сотник.

— Ишь ты... Разыщем! Никуда он от нас не денется.

— Чего же им не хватало-то? Государь о них как о детях родных заботился. Что там еще?

— Говорил про сухари. Дескать, съели все. Осталось травой питаться.

— Вот оно что... Доставим мы им сухари, —

многообещающе проговорил Ромодановский. — Они у них еще поперек горла встанут.

— А еще о поборах и податях говорят, будто бы безмерно завышены.

Крупная голова Ромодановского озадаченно качнулась:

— Что же за народец у нас такой на Руси? О благе их печешься, скверну выкорчевываешь, а она вновь гнилым многотравьем пробивается. И кто же это на поборы жалуется?

— Купец Афанасий Кучумов из Медведкова со товарищами.

— Разберемся и с ними, — сурово пообещал глава приказа. — Есть еще что-нибудь?

— Кажись, все, Федор Юрьевич.

— Вот что, попович. С сегодняшнего дня становишься на довольстве в Преображенском приказе. В сыске подвяжешься, а там, глядишь, в приказные выбьешься!

— С божьей милостью, князь, — глухо отозвался Федор Савельев.

— Ты это брось! Не с божьей помощью, а с моей. Уразумел? — строго спросил Федор Юрьевич.

— Уразумел.

— Надеюсь, грамотен? — все тем же строгим голосом спросил стольник.

— А то как же! — почти обиделся попов сын. — С малолетства в грамоте смыслю. За харчи прошения писал. Не тужил!

— Вот и славно, нам в приказе грамотеи нужны. Прошка, дай поповичу бумагу.

— Сейчас, батюшка, — вскочил подьячий. — Малость угол запачкан, чернила опрокинул, пришлось слизать, — показал он язык, черный от проглоченных чернил.

— Ты у меня так все чернила вылакаешь, — неодобрительно пробурчал князь. — Чем тогда приказы писать станешь?

Попович взял гусиное перо, оторвал зубами разбахромившейся конец и замер в ожидании.

— Готов?

— Готов, батюшка!

— «Я, попович из Переславля, Федька Савельев, бью челом князю Федору Юрьевичу Ромодановскому, главному судье Преображенского приказа... Хочу служить верой и правдой великому государю... хочу быть его глазами и ушами...» Написал?

— Написал, Федор Юрьевич, — отозвался попович, уставившись на князя.

— «Буду служить государю... живота своего не жалея... Коли смалодушничаю или предам интересы государя, погибнуть мне тогда лютой смертью...» — Поймав настороженный взгляд поповича, отвечал: — А ты как думал, Федька? Здесь все по правде, игры закончились... Написал?

— Написал, князь.

Взяв исписанную бумагу, заметил угрюмо:

— Коряво пишешь, попович, мог бы и поусердствовать. Это тебе не доносы строчить. Бумага-то казенная! Возьми, — протянул он исписанную бумагу подьячему. — Да припрячь ее, авось еще сгодится. Как изменников отловим, награду получишь. Может, деньгами, а может, что из вещичек перепадет.

— Федор Юрьевич, я тут еще одного крамольника хочу присовокупить.

— А ты, попович, во вкус входишь! — широко заулыбался князь. — Выкладывай, хуже не будет. Кто таков?

— Зовут Тихон Ерофеев Кобыльев, знаю, что из бывших приказчиков. Большой ненавистник государя нашего. Кровопивцем и иродом его называл. Ходит по трактирам и народ срамными речами тревожит. А иногда и грамоту может написать дурного содержания да по весям разослать. Народ читает и только дивится государевым забавам.

— Насчет забав это ты брось! — строго погрозил пальцем Ромодановский. — Где его искать?

— А кто ж его знает? — пожал плечами попович. — Сегодня он в одном месте водку пьет, а завтра в другое переберется. Слушатели ему харч дают да вином феразиевым потчевают. Тем и живет!

— Приспособился, значит. Ничего, отыщем! На то мы и Преображенский приказ. И не таких изменников отлавливали. Как он выглядит?

— Тощий, как ивовый прут, да темный. Кожа у него будто бы дуб мореный. На руках шрамы углядел, видать, от кандалов. Похоже, беглый! Руки у него длиннющие да жилистые, но силы в них немерено. На спор пальцами пятак гнул.

— Ишь ты!

— Весь кабак дивился, даже с улицы заглядывали.

— А роста какого будет? Ты записываешь, подьячий?

— Записываю, батюшка, все до последнего слова записываю, — скороговоркой отвечал подьячий.

Глаза поповича сузились, будто бы он примеривался.

— Да, пожалуй, подлиньше тебя, князь, — отвечал он, поразмыслив. — Дылда настоящая! Два аршина и с десяток вершков. Это точно. Такого и за версту разглядеть можно.

— А зенки какого цвета, не разглядел?

— Какого цвета очи, не помню, но скажу одно — темные! Дьявольские, так и горят злобою!

— Во что одет?

— Кафтан обычный, из зеленого сукна, на ногах — кожаные сапоги.

— Ишь ты... Где бывает, рассказывал?

— Про Суздаль говорил, про Владимир... Сказывал, что до Казани добрался, а там будто бы житие совсем худое. В Свияжске бывал.

Прикусив губу, подьячий быстро записывал.

— Еще что вспомнишь?

Попович пожал плечами.

— Все рассказал, Федор Юрьевич, как на исповеди.

— Ладно, ступай, нам поговорить надобно. И помни, попович, теперь ты не только за себя в ответе, но и за всю свою семью.

— Помню, князь. Как же забыть такое... — разом потемнел ликом попов сын.

— А теперь пиши, — продолжил Ромодановский, когда за поповичем прикрылась дверь. — «Я, главный судья Преображенского приказа стольник князь Федор Юрьевич Ромодановский... всем повелеваю... таких людей, которые станут без моего ведома крамольников допрашивать по слову и делу и присылать к Москве, передавать в Преображенский приказ...» Успеваешь?..

— Успеваю, государь.

— Далее пиши. «За нарушение сего указа применимы разные кары... Пусть даже если это воевода. А коли потребуется, ослушник будет бит батогами!..» Другой указ... «Всем воеводам... Разыскать и доставить в Преображенский приказ Тихона Ерофеевича Кобыльева, изменщика государева и вора!» Приметы не забудь написать...

— Пишу, государь.

— За указом должны следить приказные избы и докладывать мне еженедельно.

Грохнув входной дверью, в палаты вошел вестовой с приказным.

— Федор Юрьевич, тут письмо от шведского посла перехвачено.

— От Кинэна, что ли?

— От него самого.

— Чего же он там пишет, злодей эдакий?

— Пишет, что в нашей армии упадок и разгильдяйство...

— Ишь ты! — невольно хмыкнул князь.

— Полки составлены из одних молодых солдат, которые едва умеют обращаться с мушкетами. Пишет, что полки укомплектованы не полностью. В некоторых и вовсе не набирается одной трети. Пишет, что русских не стоит бояться, и чем быстрее Карл XII на Москву двинется, тем будет лучше!

— Вот он как заговорил, супостат! — все более хмурился князь Ромодановский. — Ведь мы его каждый раз водкой потчевали, а он даже не поперхнулся. Как же после этого скверным людишкам верить? На дыбу бы его, да розгами! — почти мечтательно протянул главный судья. — Да не поймут... Хорош, гусь! Как же вы грамоту его прочитали?

Приказный широко растянул губы:

— Как и прежде. Напоили его, князь, а когда он дрых, так грамоту и прочитали, — честно признался он, широко улыбаясь.

Судья расхохотался:

— Молодцы! Курьер-то ничего не заметил, когда проснулся?

— А чего ему? — отмахнулся приказный. — Пожалился, что голова болит. Вот мы его и далее лечили от похмелья. Два дня из трактира выбраться не мог.

— Может, он на словах чего сболтнул? По пьяному делу оно часто случается.

— Да много чего было говорено. Говорил, что ихний король с турками очень задружился. Только того и ждут, чтобы России-матушке напакостничать.

— Ничего, образумим, — пообещал Ромодановский. — А теперь пиши давай! Государю обо всем доложить надобно.

Глава 10

ПРИКАЖИ, ВСЕ ПОЛЯЖЕМ!

По велению государя Петра Алексеевича царевну Софью спровадили в Девичий монастырь.

Все произошло с месяц назад, когда стрелецкие полки, намаявшись от безделья, покинули дворец. К воротам, не мешкая, подошел полк рекрутов и, заняв оборону вокруг, встал лагерем. Полковник, седой широкобородый дядька лет пятидесяти, прошел без шапки до самых палат государыни и, слезно повинившись, поведал тяжелый приказ: «Следовать царевне Софье в монастырь! А ежели царевна будет упорствовать, так силком грузить ее на телегу и, приставив стражу, спровадить до самой кельи».

Опечалилась Софья Алексеевна, попросила на раздумье часок, а когда взглянула в окно на расположившихся во дворе солдат, решила согласиться.

И потекла для нее размеренная монашеская жизнь.

* * *

Стрельцы не забывали свою благодетельницу и едва ли не каждый день отправляли к ней курьеров. В этот раз в монастырь прибыл полковник Ефим Туча. Облаченный в рясу и оттого непохожий сам на себя, он выглядел смиренным иноком.

— Ты только прикажи, матушка, так мы все за тебя поляжем! — яростно уверял полковник Туча, не смея приблизиться к государыне.

Через узкое оконце в келью проникал свет, освещая полноватую фигуру монахини. Темный куколь скрывал лицо, только один нос и виден. Нет более царевны, а есть богобоязненная инокиня, скрытая от государева гнева за толстыми монастырскими стенами.

— В келью ты потайным ходом прошел? — полюбопытствовала она.

Лишь только начинала говорить Софья Алексеевна, как становилось ясно, что здесь находится прежняя царевна, которую Туча знал последние десять лет — властная, решительная, бескомпромиссная. Ей бы во дворце поживать да челядь за нерадивость помыкать, а она в рясу обряжена. Чудно!

— Потайным, государыня, — оживился полковник, — как ты и наказывала.

— А то ведь не приведи господь! — Она поднесла было руку ко лбу, чтобы перекреститься, но отчего-то раздумала. Рука опустилась безвольно, успокаиваясь на полноватых коленях. — Соглядатаи всюду! Куда ни пойти, так за мной хвост тянется, и Ромодановскому тотчас обо всем докладывают.

Царевна подняла лицо к падающему из оконца свету.

Внутри полковника что-то болезненно сжалось. Государева опала не прошла для Софьи бесследно. Лицо погрубело, осунулось, а пронзительные глаза ввалились глубоко, напоминая угольки, подернутые слоем золы. Вот, кажется, дунешь на них, и, словно прежде, появится всепожирающая злоба.

Вот такова она, Софья Алексеевна!

— Никого не было, — отозвался полковник. — Я-то ведь в рясу для встречи с тобой обрядился. Кто же на чернеца посмотрит? Никто и не поймет, для какой надобности явился.

— Ну давай рассказывай, что там у тебя.

— Меня московские стрельцы послали. Сейчас мы на Западной Двине стоим. Лютует Петр Алексеевич, совсем нас за людей не считает, а мы как-никак опора его. Ежели нас не будет, кто тогда Россию оберегать станет? А он чуть что — кнут! Только между собой и можем говорить без лукавства. От семей оторвал — вдаль отправил. А мы так думаем, он хочет поизвести нас совсем. Хочет Россию без воинства оставить! Немчину разную на Русь понагнал, продохнуть не дают! Это когда же такое было, чтобы нами французы да немцы помыкали? —

гневно вопрошал полковник. — Да ежели поглядеть, так это им у нас поучиться надо. Кто бы туркам хвост накрутил, коли не мы!

— И что же ты предлагаешь?

— Я ведь не с пустыми руками к тебе явился. Собрались мы тут как-то, потолковали! Об одном думаем... К Москве надо двигать! Там нас чернь поддержит, ей ведь тоже никакого житья не стало. Вон во Владимире и Коломне народ бунтует. Хлеба-то не хватает, а тот, что имеется, не купишь! Даже непонятно, как жить дальше. Мы тут депеши в другие города отправляем — в Псков, Новгород, в Рязань... И все стрельцы на нашей стороне стоят. Донские казаки и солдаты тоже с нами будут. Как мы двинем на Москву, так они к нам присоединятся. А когда в столицу явимся, в первую очередь бояр побьем. Этого кровопийцу, князя Ромодановского, да иноземцев разных, что из нас соки высасывают, на виселицу вздернем! А тебя на стол поставим. Так что ты нам ответишь? — затаился в ожидании полковник Туча. — Какой мне ответ стрельцам везти?

Казалось, что со дня последней встречи Софья погрузнела еще более. Но вот встала, прошлась по келье. Убогости ее как и не бывало.

— Неужто все присоединятся?

— Только твоего слова и ждут! — горячо убеждал полковник. — Ты только решись! Ежели согласишься, мы за тебя голову положим, не раздумывая. А потом, сейчас самое время на Москву идти, Петра-то нет! А может, он того... Сгинул на чужбине!

Софья Алексеевна вздохнула. Даже через бесформенную рясу было видно, что грудь царевны взволнованно поднялась.

— Не сгинул еще... Весточку не так давно от него получила. Ну да ладно, не станем говорить о худом. Хорошо... Пусть будет по-вашему, стану я государыней. А Петр... Ежели ему в заморских странах приглянулось, так пускай там и остается! А ежели надумает в Россию вернуться, так гнить ему в темнице до скончания века!

— Вот это по-нашему, государыня! — радостно воскликнул стрелец. — Обрадовала так обрадовала! Теперь я знаю, что стрельцам молвить. А может, ты еще и письмо нам отпишешь, чтобы дух наш укрепить?

— Будет тебе письмо, — согласилась Софья. — А ежели станут говорить о том, что царь Петр на чужбине помер, так ты не перечь, пусть так и думают. Это нам с руки. А теперь ступай, помолиться мне нужно. Как-никак, монахиня я...

— Молись, государыня, — попятился стрелец к выходу, — доброе дело всегда с молитвы начинается.

* * *

Мятежные полки собрались на высоком берегу Западной Двины. Разбили шатры на широком поле и стали думать, как поступать далее, благо, что к этому располагала бочка с брагой, подаренная в соседнем селе.

Снявшись со своих мест без государева приказа, стрельцы тем самым нарушили присягу, но оставалась еще одна ниточка, связывавшая служивых людей с недавним прошлым. Ее нелегко было порвать.

В шатре полковника Тучи народу набилось немало: почитай, подошли все сотники с пятидесятниками, во главе стола сидел сам стрелецкий голова, а по обе стороны от него два стрельца в возрасте — чинов больших не имели, но зато почти двадцать лет были на государевой службе. А потому на равных спорили со старшинами, поминая былые баталии.

А вспомнить они могли немало.

— Вот поглядите! — сотрясал бумагой полковник Туча. — От самой государыни Софьи Алексеевны грамота! Защиты она просит у нас от своего братца-супостата.

— А ты прочитай, — сказал дородный казак, сидящий рядом. Вроде бы и негромко сказал, но был услышан.

Примолкли разом стрельцы. Стали ждать.

— А вот послушайте... «Грамота стрельцам от царевны Софьи Алексеевны...»

Оторвавшись от письма, полковник всмотрелся в лица примолкнувших стрельцов. Равнодушных не отыскалось: кто посмурнел, кто разинул от удивления рот, а кто усмехнулся в бороду. Но то от лукавого!

— «...Только на вас и есть надежда. Брат мой, Петр Алексеевич, позабыл старину, как мы при дедах наших поживали. Понагнал в русскую землю иноземцев, а они глумятся над нашим людом, обычаев не соблюдают и живут как им вздумается...»

— Верно сказано, — шумно согласились стрельцы, нарушив заповедное молчание. — Так оно и есть.

— Далее читай.

— «...Подати увеличены, так что черни и не продохнуть. Стрельцов, опору державную, неволят безвинно, жалованье не платят...»

— Самую суть говорит, — прервал чтение сотник Михайловского полка Елизаров.

— Да тише ты! Пускай дочитает.

— «...Вместо того чтобы заботиться о своих слугах, как о чадах малых, съехал царь в иноземщину. Где же это видано, чтобы русские цари уму-разуму в немецких землях набирались? Неужто мы скудоумием страдаем? Отечество свое без глазу оставил...»

— А говорят, помер царь! — произнес полковник Чубаров, перекрестившись.

— «...А царствие свое на нерадивых бояр оставил, которые, уподобившись аспидам гнойным, землю русскую разоряют. Пришло время сбросить иго иноземное. Кто на это способен отважиться? Только стрельцы! Ступайте в Москву и поскидайте в омут всех ненавистных бояр. А уж я за вас заступлюсь и своими милостями не оставлю. Жалованье увеличу вдвое супротив прежнего, — сделал нарочитую паузу Туча, оглядев стрельцов. — Долги возверну. А иноземных командиров с полков уберу и поставлю русских. И да поможет вам господь, царевна Софья Алексеевна. Писано в Девичьем монастыре».

— О, какой у нас царь подлый! Мало того, что супругу свою бесчестит, так еще и сестрицу не пожалел, в монастырь отправил! — веско высказался Туча.

— Верно глаголешь, Василий Нестерович! Супостат он, а не царь! — с гневом отозвался сотник Семеновского полка Иван Щука. — Батюшка-то его, как стрельцов привечал! А он только и норовит, чтобы нас обидеть. То плетьми накажет, а то жалованье не дает. Чем же тогда нам семью кормить?

— Погодите, погодите! — воспротивился пятидесятник Макарьевского полка Фрол Ступа. — Петр Алексеевич нам господом ниспослан, вот его мы и должны уважать. А сами понимаете, хороших господ не бывает. Надобно к ним приспособиться. Не на вилы же его насаживать за то, что характер дурной!

— От господа, говоришь, дан? — едко прищурился Ефим Туча. — А может, все-таки от сатаны? Ты посмотри на него, каков он. Наши государи никогда иноземный кафтан не нашивали, а он в нем по городу шастает. Ведет себя, как чумовой, каждый иноземец его Питером называет. Где же это видано, чтобы царя без отчества именовали?! Не по-нашему это, не по-христиански!

— Вы же к бунту призываете! Кто же нас простит, ежели мы на Москву пойдем?! Да в этом случае мы похуже всяких татей сделаемся, — воспротивился Игнат Федоров.

— Ну и дурень же ты, Игнат! — осерчал Туча. — Ему про Ерему говоришь, а он Фому поминает. А может, тебе уши от пальбы заложило? Сказано же тебе было, что сама Софья Алексеевна у нас помощи просит. А может, ты отсидеться хочешь? На нашем горбу вылезти желаешь? — вопрошал зло полковник.

— А ты постой, Туча. Чего на человека понапрасну гавкать? — обозлился старшина Алексеевского полка. — Игнат дело говорит. Сначала все продумать надо, ведь мы Петру Алексеевичу перед богом верой и правдой клялись служить. Что же тогда такое будет, если мы присягу нарушим?

— Клялись-то мы клялись, а только чего же это он нас в голоде держит? Ежели мы о себе не позаботились, так давно бы уже все померли!

— Не дело ты говоришь, Макарыч! — попенял сотнику стрелец из Медведковского полка, сидящий рядом. Хотя чинами был не наделен, но к слову его прислушивались. — Разве государь о нас не заботится? А как же земельные наделы, что он нам за службу определил? Почитай, ото всех налогов освободил. Многие из нас кабаки да лавки держат. Кто такой заботой похвастаться может?

Сотник поднялся из-за стола. Того и гляди, вцепится обидчику в бороду.

— А то, что он с нас за эти пятаки семь шкур дерет, так это, по-твоему, не в счет?

— Хватит вам! — грозно окликнул рассорившихся стрельцов Туча по праву хозяина. — Не хватало еще, чтобы мы тут на круге передрались. А только вот что я вам скажу. Мне и самому государева служба не в радость. Только было разжился, только лавку открыл, приказчика нанял, а опять надобно куда-то на окраину съезжать, и нажитое честным трудом добро пришлось прахом пустить. За что же нам такая опала?! Относится к нам государь как к нелюбимым пасынкам. Только вот что я вам хочу сказать. Ведь и без государя нам никак нельзя. Если защитника, как он, не станет, нас бояре проглотят, и кусочка не останется.

В шатре стало душно. Кто-то распахнул полог и внутрь ворвался свежий воздух, остудив разгоряченные лица собравшихся.

Поднялся сотник Ерофеев, один из самых уважаемых московских стрельцов. Ему было далеко за сорок, однако лучшего бойца не найти во всем воинстве.

Оглядев притихших стрельцов, он широкой ладонью пригладил поседевшую бороду и заговорил густым басом:

— Здесь вы меня все знаете, стрельцы...

— Знаем, чего уж там? — махнул дланью Туча. — Ты давай дело говори.

— Знаете, что и от пуль я не бегал, господской милости тоже не просил. И всегда старался жить по-божески. А шестнадцать лет назад, когда мы ко двору царя пришли свое право требовать, то я тоже там был... И много чего мы добились. Стоило нам только ненавистных бояр на пики поднять, как все по-нашему стало. Ты помнишь, Степан? — обратился сотник к товарищу, седому с крупной головой стрельцу, но такому же крепкому, как и он.

Заулыбался Степан, обнажив остатки почерневших зубов:

— Как же позабыть такое!

— Я и сейчас готов правое дело продолжить. А только у нас не выйдет ничего, если мы в разные стороны тянуть станем. Нам нужно наших полковников переизбрать, чтобы смуту меж нас не чинили. А потом уже самим челобитную царю писать. —

Глянув на товарища, спросил: — Кажись, ты в прошлый раз, Степан, писал?

— Было дело, — отозвался довольный Степан. — Писал.

— Значит, и в этот раз напишешь. А теперь надо решить, идем мы на Москву или нет?

— Идти надо, — поддержал стрельца Туча. — Надобно начатое дело закончить.

— Согласен с Тучей! Надо на Москву идти! — произнес Ерофеев. — Там нас поддержат. Чернь без хлеба сидит, к нашим полкам примкнет. А мы ее оружием снабдим.

— Думаю, что Туча с Ерофеем правы, — высказался Чубаров. — На Москву надо идти. И не ждать, пока государь нас отсюда выведет.

— И я с вами, господа, — заголосил полковник Медведковского полка Зорин Лавр. — Вместе турок бивали, вместе и в Москву пойдем.

— На том и порешим! — объявил во всеуслышание Туча. — Составим для государыни нашей челобитную. Пусть станет для нас царевной. А боярам отправим изветное письмо. Пусть знают, что идем не сгоряча, а крепко подумав. Пришел нашему терпению конец!

Стрельцы одобрительно загудели:

— Это сколько еще можно терпеть!

— Мы за государя живота своего не жалели, а он нас в ссылку на украинские земли отправляет!

— Побьем бояр, что государя нашего дурными речами смущают, пограбим их дома. На наши деньги строенные, и поставим на царство Софью Алексеевну.

Туча поднялся, оглядел цепким взором собравшихся стрельцов. Приумолкли вояки, ждали последнего слова.

— А теперича... — тряхнул он головой, от чего длинная посеребренная борода метлой махнула по груди, — не будем тянуть время. Собираем шатры и на Москву... А письмо боярам я сам напишу. — Усмехнувшись криво, продолжил: — Не посрамлю! У меня многое к ним накопилось. Все выскажу!

Глава 11

СТРЕЛЕЦКИЙ БУНТ

Князь Федор Юрьевич прошел на сокольничий двор. В клетках, устроившись на жерди, плотным рядком сидели соколы с ястребами. Соколиной охотой князь Ромодановский занимался больше из-за баловства. Большим удовольствием для него было видеть, как слетает с кожаной перчатки прирученная птица, как кружит в небе и, отыскав желанную добычу, стремглав падает вниз.

У одной из клеток князь остановился. В темнокожаном клобуке на тонкой жердочке находился его любимец сокол Разбойник. Сидел тот неподвижно, будто бы окаменев. Только когда стольник подошел поближе, слегка наклонил голову, как если бы хотел рассмотреть его через кожаный клобук.

Федор Юрьевич шагнул немного в сторонку, и (вот чудо!) голова птицы повернулась в его сторону.

— Сокольничий! — громко позвал князь.

— Здесь я, Федор Юрьевич.

— Сними у птицы клобук, — потребовал Ромодановский.

— Это я быстро, князь, — подскочил к клетке сокольничий.

Развязав под шеей крохотный узелок, он осторожно стянул с крохотной головки сокола клобук.

Слегка приподняв крылья, сокол будто бы поприветствовал князя Ромодановского и вновь застыл на жердочке, впившись в него огромными желтыми глазами.

— Ишь ты, как смотрит! — ласково проговорил князь, любуясь красивой птицей.

— Соскучился он, Федор Юрьевич, — нашелся сокольничий. — Давеча все кричал во все горло. Все тебя звал.

— Скажешь мне тоже, — невесело буркнул хозяин. — Может, он того... Самку ему надобно. Вот и орал сдуру.

— Хе-хе-хе! — мелко рассмеялся сокольничий, оценив шутку Ромодановского (какие же могут быть баловства в середине лета!). — А когда на охоту пойдем? Птице ведь простор нужен. Без вольного воздуха она чахнет.

Вздохнув глубоко, князь Ромодановский произнес удрученно:

— Вот как со всеми изменщиками посчитаюсь, тогда и пойдем.

По тому, каким тоном была произнесена эта фраза, сокольничему стало понятно, что соколиная охота состоится не очень скоро.

— Как скажешь, Федор Юрьевич, я всегда готов.

— Ты вот что, Гришка, поброди с соколом над житницкой, авось что-нибудь, да изловите. Ежели будет заяц, на угольях зажарь. Мне грудинку принесешь.

— Обязательно доставлю!

— Федор Юрьевич, — подскочил кравчий, — тут посыльный прибыл.

Этого еще не хватало!

— От кого? — нахмурился Ромодановский.

— Сказал, что от стрельцов, изветное письмо везет!

— Все не слава богу! — только и вздохнул князь. — Зови нарочного в горницу. Приветить надобно. — Повернувшись к сокольничему, бросил в сердцах: — Это что здесь под ногами за дерьмо?! Выметай давай!

* * *

Посыльным оказался стрелец аршинного роста, в кафтане цвета Медведковского полка. Заприметив вошедшего князя, помешкав малость, снял шапку и, тряхнув золотыми кудрями, произнес:

— Тебе изветное письмо, князь, от стрельцов!

— Вот оно как, — взял Ромодановский протянутую грамоту и, развернув, принялся читать: — «Стольнику, князю Федору Юрьевичу Ромодановскому и боярам изменникам...» — Посмотрев на стоящего подле двери стрельца, протянул, сузив глаза: — Знал, что здесь писано?

— Знал, Федор Юрьевич.

— И не боялся?

— В Азове не дрейфил, так чего же мне здесь бояться?

— Во оно как поворачивается... «Нету более сил

терпеть обиду и крамолу со стороны бояр. Государево жалованье нам не плачено уже год... за службу нашу ратную, за то, что живота своего за государя не жалеем, сносим несправедливые обиды от иноземцев-командиров...» — Оторвавшись от письма, Федор Юрьевич полюбопытствовал весело: — А на дыбе сгинуть не боишься?

— Не боюсь, Федор Юрьевич, а только здесь вся правда написана. Всем миром составляли. И еще тебе велено передать... от Софьи Алексеевны, чтобы ты в это дело не встревал, ежели не хочешь с бесчестьем помирать. За нами сила! А так еще и при Софье Алексеевне послужишь. Как и прежде, главным судьей Преображенского приказа будешь.

— Ты Софью Алексеевну видел? — нахмурившись, спросил Ромодановский.

— А то как же! Прежде я к ней с поклоном пришел. Письмо от наших командиров принес. Полковники наши просили, чтобы она государыней на Руси была вместо своего братца бесталанного. А уже потом к тебе заявился.

— Как тебя величать-то?

— Величать ни к чему, Федор Юрьевич. Прозвище у меня — Верста! Так и кличь. Привык я к тому.

— А ежели я не пожелаю, Верста, тогда чего?

Пожав могучими плечами, Верста бесхитростно произнес:

— Твое дело, князь... А только под Москвой сейчас шесть стрелецких полков команды дожидаются. И народ все прибывает. Чернь на Петра Алексеевича очень сердита! У кого оружия нет, так берут ухваты с топорами да к нам в лагерь ступают. Первый дом, что мы в Москве сокрушим — будет твой! Вот и подумай, князь, надо ли это тебе?

— И чего же ты мне посоветуешь?

Верста оживился. Было видно, что ответ у него припасен.

— Скажись хворым. Призови знахарей, скажи им, что немощь тебя нечаянная одолела, пускай они тебя подлечат... Пойду я, князь, — натянул стрелец шапку на самые уши, упрятав золотые кудри. — Дел у нас нынче много. К нам стрельцы из других городов подходят. Встретить надобно. В осаду Москву возьмем, чтобы ни один изменник не проскочил.

Уходя, стрелец аккуратно прикрыл за собой дверь, оставив Ромодановского в тяжелых раздумьях.

Надо признать, что стрельцы — это сила, с которой считался любой правитель, а потому нередко потакали им как малым детям. Затянем потуже пояса, а стрельцов обижать не станем.

Надо вам землицы?

Пожалуйста!

Просите жалованье удвоить?

Извольте!

Надо дом новый выстроить?

Вот вам бревна из государева леса.

Чего же на этот раз нерадивым требуется?

— Егор!

— Да, хозяин! — мгновенно предстал перед князем верный слуга.

Окаянная бумага жгла ладони. Воткнув ее за пояс, князь Ромодановский произнес:

— Посыльного видел?

— Ну?

— Узнай кто таков.

— Сделаю, Федор Юрьевич.

— Чего встал? Беги!... Постой, — остановил он исправника. — Тут вот что, Егорка... Что-то занедужилось мне нынче. Пойду в опочивальне прилягу. Авось уляжется. Ежели к вечеру худо станет, покличь мне Аграфену-травницу, пусть настоя какого-нибудь припасет. Авось отпустит.

* * *

Весть о том, что стрелецкие полки подходят к городу, облетела Москву в одночасье. На базарах шептались о том, что простому люду тревожиться не стоит, а вот боярам-изменщикам не поздоровится. Пожгут да пограбят. Первый, кому достанется, будет Федор Юрьевич Ромодановский. Его так и вовсе обещались извести на Красной площади прилюдно.

Вместе с боярами покидали Москву мужи не столь знатные. Прихватив с собой семью да самый необходимый скарб, съезжали куда подальше. Главное, чтобы головушку сберечь. А богатство — дело наживное.

— Ну что ты с узлами возишься? — прикрикнул окольничий Митрофанов на супругу. — Сказано, все бросай! Не ровен час стрельцы заявятся, без башки останешься, а ты все над барахлом трясешься!

— Так ведь пограбят! — запричитала супруга.

— Пограбят, — легко согласился окольничий. — Добро оно что? Тьфу! Другое наживем, а вот как без башки жить будем! Ты вспомни, чего стрельцы на государевом дворе шестнадцать лет назад учудили, едва самого Петра Алексеевича жизни не лишили.

Уже к вечеру боярские дома опустели. Нагрузив скарб на подводы, бояре съезжали с Москвы в имения и охотничьи избы, наказав при этом приказчикам караулить хозяйское добро.

Дважды собиралась Боярская дума и, не дождавшись князя Федора Ромодановского, неспешно расходилась, так и не приняв окончательного решения.

С дальних и ближних застав в Москву спешили гонцы, сообщая о том, что стрелецкое воинство неумолимо приближается к Москве, вбирая в себя все новых рекрутов.

Виделось, что стрельцы не сомневаются в собственной победе, а потому их поход принимал формы неслыханного разгула. Переизбрав опальных командиров, они установили полковую вольницу, где всяк себе был хозяин, а потому их лагеря больше напоминали таборы, куда со всех окрестностей сходились гулящие девицы — за доброй лаской и легкими деньгами. Веселье в лагере не прекращалось до тех самых пор, пока не заканчивалось припасенное вино. Оголодавшие и истосковавшиеся без женского тепла, они разбредались по окрестностям и не возвращались в бивуак до тех самых пор, пока животы до самого горла не набивали кушаньем и вдоволь не утолялась похоть.

Угощения перепуганных поселян бывали настолько обильны, что стрельцы частенько не добирались до шатров, падая во хмелю посреди дороги. И стада буренок, бредущих на пастбища, испуганно шарахались в стороны, принимая их за покойников.

На новое место полки перебирались только после того, когда спиртные и пищевые запасы оскудевали и в ближайшей округе не оставалось ни одной девицы, что не побывала бы под стрельцом.

Неспешно сворачивая шатры, оставляя после себя в селениях дурную память, они двигались далее на Москву.

Молва неслась быстрее, чем двигались стрелецкие полки, и поселяне, извещенные о прежних бесчинствах, прятали девок по подвалам да запирали на крепкие амбарные замки.

Впрочем, предпринятые меры помогали мало. Облюбовав для постоя очередной поселок, стрельцы неспешно разбивали лагерь и, расспросив, кто из местных готовит брагу, шли гурьбой, не забывая захватить кремневые ружья. А потому хозяева, завидев возбужденную и горластую толпу стрельцов, готовы были отдать гулякам не только хмельное питие, но и жену вместе с повзрослевшими дочерьми.

Вместо обычных семи дней до Николо-Хованского поселения стрельцы добирались туда целых три недели. До белокаменной оставался всего-то день пути.

Ответ на отправленную в Москву челобитную отчего-то запаздывал и стрельцы решили ждать от бояр покаянную. А уж ежели заартачатся, то придется под барабанный бой заявляться в дома крамольников.

* * *

За последнюю неделю это было третье заседание Боярской думы.

Позабыв про местничество, впереди других устроился воевода и генералиссимус Алексей Семенович Шеин. Невысокий, кряжистый, он занимал едва ли не треть лавки, потеснив своим седалищем самых родовитых князей. Рода он был незнатного, отец его, Семен Иванович, дожив до седых волос, едва дослужился до стольника. Родитель в присутствии бояр присесть не смел, а сынок его Рюриковичами помыкать надумал, будто бы холопами какими-то.

Ох, плохо без государя!

Совсем порядка не стало. Переглянулись Голицыны с Нарышкиными, но оттаскивать за волосья зарвавшегося стольника не стали — пусть покуражится!

— Занедужил князь Ромодановский, — объявил Алексей Семенович, вздохнув печально. — Подняться не может. Был я у него вчерась, так он только все руками машет да на горло свое показывает. Так что как-нибудь сами управимся... Час назад депешу от стрельцов получил. Совсем ополоумели таи! Требуют, чтобы мы князей Ромодановского, Стрешнева да Троекурова под замок запрятали, немецких офицеров чинов лишили. Так что делать будем?

— Эдак они захотят, чтобы мы еще и Петра Алексеевича им выдали на поругание, — произнес Аникита Иванович Репнин, представитель древнего княжеского рода.

Упрятав глубоко в себя гордыню, он сидел на самом конце лавки, а ведь чином велик и мог потеснить не только Татищевых, занявших место ближе к трону, но и Голицыных.

Подавив вырывавшейся вздох, Шеин молвил:

— Уже требуют, Аникита Иванович. Желают,

чтобы мы вышли к их полковникам с хлебом и солью и присягнули на верность Софье Алексеевне. А ежели объявится государь Петр Алексеевич, так его в железо! Как вора срамного!

— Вот оно как повернулось. А за отказ чем грозятся?

— Обещают повесить. — Глянув в бумагу, лежавшую перед ним, добавил: — Так и пишут, перекладин и веревок на всех хватит!

— Я тут по городу проехал, так среди бояр уныние большое. Скарб на телеги складывают и съезжают подалее. Если не сегодня, так завтра все уедут, — произнес старый Репнин.

Стольник Федор Матвеевич Апраксин только хмыкнул:

— Ежели успеют. Стрельцы сегодня вечером уже в Москве будут. Вон депешу от целовальника из Хмуровки получил. И его присягнуть силушкой заставили. В народ грамоты разослали, призывают крамольников пограбить, а их добро меж собой разделить. Вот к ним народец и прибывает. Легкой наживы хотят! А полковники стрелецкие больше всех к смуте призывают, — посмотрел он на Шеина, сидящего по правую руку от стола. — Не хотелось бы мне пенять тебе, Алексей Семенович, но ежели бы ты за деньги в полковники не переводил всякий сброд, так, может, и смута бы не зародилась. Видишь ли, мало им стало государева жалованья, так они решили и на чужое позариться!

Лицо воеводы Шеина побагровело:

— Уж не в воровстве ли ты меня упрекаешь, Федор Матвеевич?!

— Я-то говорю о том, о чем вся Москва уже

давно шепчется. Эта молва и до государя дойдет, а уж он-то спуску не даст! Мало того, что худороден, так еще и государеву казну со своим карманом путает.

— А может за худые речи мне тебя за бороду отодрать?! — поднялся со своего места стольник. — Сил у меня хватит, и на чин я твой не посмотрю.

— Хватит вам горячиться! Образумьтесь! — возвысил свой голос Иван Борисович Троекуров. — Не вовремя вы спор затеяли. Не о том надобно думать! Государь Петр Алексеевич на нас свое царство оставил, а мы его лишились! Как нам тогда перед государем ответ держать?

— Не потеряли еще, — примирительно произнес Шеин, — но можем потерять, если ротозеями будем. Ко мне тоже посыльный прибыл, из моих людей... Не все так худо, как может показаться поначалу. В Москву они идут не воевать, а грабить. Обоз у них и вправду большой, но в нем половина гулящих девок, да еще жены с детьми, да хозяйство всякое. Нет им нужды за полушку помирать!

— К ним же народец всякий стекается. Говорят, что много его, — выразил недоумение Апраксин.

Махнув рукой, Шеин продолжил:

— Пустое! Разве они вояки? В большинстве своем таковы, что лишь из-за угла могут кистенем по голове огреть. На добрую же сечу они неспособны. Достаточно только пальнуть, как сами разбегутся.

— У смутьянов заединщики во всех городах имеются. Сумеем ли справиться? — усомнился Аникита Иванович. — Тут мне сказывали, что и в Москве лихие людишки попрятались и только того и ждут, чтобы стрельцы подошли. А как придут, так они все скопом навалятся и боярские дома пограбят.

— Пустое все это... Я так думаю, что со стрельцами нужно как с врагами обходиться. Ежели они на Кремль с войной идти отважились, кто же они тогда такие, как не супостаты?! С пушками их надо встречать и не жалеть никого. Слава богу, и силой духа, и силой оружия мы не обделены. Вон как туркам на Азове наподдали. Они до сих пор опомниться не могут.

— Вот тебе и возглавлять ратное дело, Алексей Семенович. Ты ведь у нас генералиссимус, а потом ведь тебя государь над воинством русским поставил, — проговорил Федор Апраксин. — Ты турков славно бил и здесь не оплошаешь. Ты уж не серчай на меня, старика. Чего только не наговоришь, когда тут такое лихое дело? Не по злобе! Государь Петр Алексеевич нас вместо себя на царство поставил, а мы доверия царского оправдать не можем.

— Я уже и забыл, Федор Матвеевич. Чего худое поминать? — отмахнулся воевода. — Да и не время нынче. Я так думаю, что нужно прежде всего охранять Кремль. Пусть Преображенский полк займет его и запрет ворота. Стрельцы штурмовать Кремль не осмелятся, себе дороже. Это тебе поручается, Аникита Иванович. Сделаешь? — посмотрел он на Репнина.

— Справлюсь.

— Кто у нас сейчас на службе остался?

— Из стрелецких полков только три. Да и то ненадежные. Не ровен час, так к заговорщикам примкнут. Нет им веры! — отвечал Репнин.

— Я так полагаю, соберем полки из дворян, солдат. Пусть на службу идут даже недоросли...

— Да какие из них вояки! — отмахнулся Апраксин. — Срамота одна! Пушечного грохота перепугаются.

— Придется им привыкать, — сдержанно заметил Шеин, — если не хотят под кнутами сгинуть. Нет у нас другого пути!

— Сколько же стрельцов на Москву идет?

— Вестовой сказал, что тысячи две, а может, и поболее. Вместе с прибывшими татями до трех тысяч наберется. Значит, мы должны собрать вдвое больше, а лучше втрое.

— Вот бы еще пушки, — мечтательно протянул Репнин, — так ведь все по гарнизонам растащили.

— В Кремле есть пушки. Кажись, полдюжины наберется.

— В Преображенском шесть.

— Еще четыре у стрельцов.

— Вот и набирается. А теперь, пойдем воинство кликать, — поднялся Шеин. — Не время рассиживаться, а то государство проспим.

Глава 12

ВЫКАТЫВАЕМ ПУШКИ

Уже через час от Кремля спешным порядком отъехали четыре дюжины посыльных собирать полки. А к утру воеводы близлежащих городов отрядили для битвы пять полков. Вместе с солдатскими, что стояли подле Кремля, да с вновь прибывшими недорослями набралось десять. Сила немалая. Разбившись в походные колонны, рать двинулась к месту расположения стрельцов — на Хованское!

Две армады сошлись у Новоиерусалимского Воскресенского монастыря. И принялись недружелюбно поглядывать на супротивника через мушки орудий. Никто не отваживался палить первым. Да и как оно по своим-то!

Чай, не басурманы какие-то.

Осмотрев стоявшее впереди воинство стрельцов, воевода Шеин увидел, что государевы полки числом превышали бунтовщиков. А если учитывать пушки, которые выдвинули на передний край, преимущество было подавляющим. Обоз стрельцов растянулся на добрые полторы версты, на подводах громоздился многочисленный скарб. Тут же находились девицы в пестрых сарафанах, ищущие потех.

Теперь это были иные стрельцы, совсем не те, что поучали свинцом турецких янычар у Азова. Обленившиеся в долгом переходе и разнеженные в девичьих объятиях, они представлялись Шеину легкой добычей. Пальнуть разок из пушек, так они и разбегутся.

Лишь малая часть мятежников, которая находилась в первых рядах, была столь же непримиримой. Они угрюмо посматривали на многочисленное государево воинство, готовые скорее погибнуть, чем показать неприятелю тыл.

Вот их-то и следовало опасаться. Выделялся тут полковник Туча. Огромного роста стрелец в багровом, будто бы кровь, кафтане (в плечах — косая сажень), он был виден за версту и представлял собой приметную мишень. Но протопав с поднятой головой через все турецкие «кумпании», он не получил ни единой раны и, похоже, всерьез уверовал в собственную неуязвимость.

Чего же его заставило супротив государя подняться?

Именно Туча являлся заводилой нарастающего бунта. Кто знает, останься он в сотниках, может быть, все и образумилось бы. Поорали на государевых посыльных да разошлись бы себе с миром по шатрам.

Незадолго до турецкого похода Шеин произвел Тучу в полковники. Дважды до этого тот подавал прошение, но Алексей Семенович всякий раз находил причину для отказа, и вот когда тот заявился в третий раз в сопровождении дюжины стрельцов, каждый из которых держал в руках по корзине с щедрыми подношениями, несговорчивый Шеин разом размяк.

И вот теперь приходится хлебать беду большой ложкой.

Подозвав к себе пушкаря, генералиссимус спросил:

— Вон того детину в красном кафтане видишь?

— Это Тучу, что ли?

— Верно, его самого. Откуда его знаешь?

— Так кто ж его не знает? — в свою очередь подивился пушкарь, заморгав белесыми ресницами. — О нем, почитай, все воинство наслышано. Он ведь со своим полком первым в Азов вошел. За это и шубой был пожалован с государева плеча.

— Знаю, — невесело буркнул Шеин. — Вот в него первого и пали! Да смотри, не промахнись, а то самому голову оторву.

— Не промажу, — пообещал пушкарь и взглянул в узкое жерло, пропахшее кислым порохом.

Подошел Патрик Леопольд Гордон, генерал-лейтенант из Шотландии, принятый государем на русскую службу лет пятнадцать назад. Однако на Руси все величали его Петром Ивановичем, на что тот совершенно не обижался.

В коротком парике, гладко выбритый, неизменно в безукоризненном снежного цвета камзоле, он выглядел значительно моложе своих шестидесяти пяти лет.

— Прикажешь палить, генералиссимус? — спросил генерал-лейтенант, слегка коверкая русские слова.

Шотландец командовал Бутырским полком, который едва ли не целиком состоял из католиков-шотландцев. Притесняемые на родине, они подались в Россию, где отыскали себе убежище и вторую отчизну. И что весьма отрадно, оказались неплохими вояками.

Полк шотландцев занял позицию в дубраве. Дисциплина строжайшая. Без надобности словом никто не обмолвится. Выстроившись в четыре колонны, солдаты терпеливо дожидались генерал-лейтенанта.

— Все-то тебе палить, Петр Иванович, — укорил Шеин. — Чай, не по соломе стрелять придется, а по людям! А ведь мы с ними в одной кумпании были.

— Бунтовщиков надо наказывать, — уверенно проговорил Гордон. — Непослушание порождает еще большее непослушание. У нас на родине так и делают.

Шеин невесело хмыкнул:

— Вот поэтому ты и подался в Россию.

Генерал-лейтенант насупился, но смолчал.

— Говорить с ними будем. Пускай оружие складывают на милость государя Петра Алексеевича, а там поглядим.

Шотландец брезгливо поморщился, отчего стал выглядеть значительно старше:

— Это кто же с бунтовщиками говорить станет?

— Кхм... Я сам с ними и переговорю.

* * *

С косогора, энергично пришпоривая белого коня, спускался всадник в зеленом стрелецком кафтане. Въехав в расположение, дозорный придержал коня у высоких шатров и громко проорал:

— Где полковник Туча?

Полог шатра дрогнул, и из глубины, слегка пригнувшись, вышел полковник. Праздная жизнь чувствительно сказалась на его облике: лицо заметно припухло, выглядело почти болезненным, да и сам он малость обрюзг. От прежнего героя азовского похода осталась лишь невыразительная тень.

— Ты чего тут орешь?

— Государевы полки идут. Спешно! Часа через три будут в расположении.

Похоже, что полковник еще не пробудился от хмельной спячки. Сфокусировав тяжелый взгляд на дозорном, спросил недоверчиво:

— Ты чего несешь? Откуда им здесь взяться?

— Степан Захарович, верно говорю. Они это! Я в дозоре с Кирилкой Бирюком стоял. Так он по нужде только в сторонку отошел, как его лазутчики государевы сцапали. Я как крик услышал, так сразу на коня и деру. Три раза по мне палили, даже шапку прострелили. Да видно, матушка на небесах за меня крепко молилась. О, глянь-ка! — сорвал он с головы шапку.

Полковник недоверчиво покрутил в руке стрелецкую шапку. Там, где она была оторочена лисьим мехом, действительно имелась небольшая дыра. Для чего-то сунул палец в отверстие, покрутил ее малость и с некоторой заинтересованностью, цепляясь за остатки надежды, спросил:

— Верно, от пули прореха. А может, не государевы полки, а тати какие?

— Я потом на пригорок взобрался и стал ждать. Так они маршем идут. Полковник, не надо мешкать, скоро здесь будут!

В гороподобном Туче медленно, но уверенно пробуждался воин. Разогнув малость ссутулившуюся спину, он прокричал:

— Трубач, протрубить общий сбор!

Из полковничьего шатра выглянули две веселые девичьи физиономии. Было понятно, что дозорный прервал развлечение на самом увлекательном месте.

— Все, девки, кончилось наше гульбище. Ступайте к дому, а то государева пехота вам все перси поотворачивает! Складывай шатры!

Уже через четверть часа стрельцы двинулись навстречу государеву воинству. Встретившись на большом и открытом поле у Вознесенского монастыря, стрельцы были неприятно поражены тем, что царские полки превосходили их числом. Растянувшись во фланг, пехота закрыла собой небольшой подлесок, сползла с пологого пригорка и нестройным рядком выглянула из распадка.

Накатил ветерок, до дрожи остудив разгоряченные лица.

— Кажись, их поболее, — невесело протянул Иван Проскуратов. — Да еще и с пушками.

— А ты зенки-то разуй, — недобро отвечал Туча. — Где ты среди них вояк углядел? Одни только недоросли в овчинных полушубках да потешные солдаты. Это им не шуточные крепости брать. Здесь и убить могут. Ежели среди них кто и готов воевать, так это только Гордон со своим отрядом. Но таких немного!

— Видал?! Стяг белый подняли, говорить хотят, — произнес Проскуратов

— Уж не сдаваться ли думают? — не то в шутку, не то всерьез предположил Туча.

— Поглядим.

Разбившись на полки, стрельцы с мушкетами на изготовку дожидались команды. На лицах застыло откровенное разочарование. Всего два часа назад жизнь представлялась чередой нескончаемых увеселений, где в каждом селе можно отыскать не только добрую медовуху, но и беззаботную девку, готовую разделить тяготы воинской службы. Трудно поверить, что все может закончиться под стенами монастыря. И только мушкеты, направленные в грудь противника, вернули их в действительность.

Легким шепотком над полками разнесся вздох разочарования. Одно дело — биться с басурманами, и совсем другое — гибнуть под пулями соотечественников.

А ведь еще недавно верилось, что стоит только потрясти ружьями, как разбежится государева рать, открыв путь на Москву.

Полки стояли неподвижно, нацелив на стрельцов мушкеты, и терпеливо дожидались команды воеводы.

Затянув потуже распирающее брюхо и подправив саблю, Туча взял за локоть Проскуратова, стоящего подле. Оглядев придирчивым взглядом товарища, недовольно изрек:

— Кафтан бы одернул. А то складочка на боку топорщится. Мы ведь не шайка разбойников, а воинство как-никак!

— Чай, не государев смотр, — недовольно буркнул Серафим, но кафтан поправил.

Ефим Туча, подняв белый флаг и перекрестившись на золотые главки собора, в сопровождении Проскуратова пошел к государевым полкам.

От первой цепи солдат, вытянувшихся во фланг, отделились две фигуры. В сухопаром подвижном человеке тотчас признали ближнего боярина Шеина. Второй был немолод и не так расторопен. Но эта персона тоже весьма известна — генерал-лейтенант Гордон.

Сошлись они на самой середине поля, обменялись хмурыми взглядами.

— Не ожидал я от тебя такого, Ефим, — произнес Шеин, покачав головой. — В чем ты меня заверял, когда я тебя в полковники производил?

— Напомни, генералиссимус, — скривился Туча.

— Говорил, что будешь служить государю Петру Алексеевичу, живота своего не жалея!

— А я и не жалел, — хмуро отозвался Туча. —

Свои слова делом доказал. Вспомни Азов, Алексей Семенович. Разве не мой полк первым в крепость вошел?

— Разве позабудешь такое... — В голосе воеводы прозвучала теплота. Даже лицо пообмякло, сделавшись на какое-то время добрее. — Вот потому и обидно мне, полковник.

— А ты не обижайся, не о том говорить надобно.

— Вон как ты повернул! Что ж, давай поговорим о том, для чего пришли... Вот что я тебе скажу, полковник. У нас сила, нас числом побольше будет, да и пушки у нас! Складывай оружие и сдавайся на милость государеву. Обещаю тебе, что будешь служить в своем полку, если уговоришь бунтовщиков уйти подобру-поздорову.

— А ежели нет, генералиссимус? Тогда чего? — прищурился Ефим Туча.

— Тогда попадешь в застенок вместе со всеми бунтовщиками.

— Теперь и ты послушай меня, Алексей Семенович. У нас хоть и не столь великое воинство, как у тебя, но только воевать мы умеем, в отличие от них. Не одну военную кампанию прошли, сам знаешь. А у тебя в полках одни недоросли да солдаты шутовские. Пальнешь разок, так они и разбегутся. И далее нам дорога на Москву открыта. Вот и я тебе хочу сказать, генералиссимус. Складывай оружие, а молодцам своим скажи, чтобы не противились... Может, еще живым останешься. И ежели что, так я по старой памяти о тебе перед стрельцами слово замолвлю. А то и перед Софьей Алексеевной, чтобы она чинов тебя не лишала.

— Эх, Ефимушка... Туча, куда же ты скатился? К татям! Ведь ты же лучший был на Азове!

— Почему же был, боярин? Я и сейчас самый лучший! Может, ты сомневаешься?

— Только ведь не на пользу государю, да и себе во вред!

— Вот что, Алексей Семенович, не трави ты мне душу! А то я всерьез осерчать могу. Ты-то вот румян да сыт, хоромы себе отстроил, а детишки моих стрельцов от голода пухнут, так за что же мне Петра Алексеевича любить? Мой господин тот, кто обо мне позаботится и за службу мою верную жалованье мне достойное положит. А если он со мной обращается, как с собакой... Что ж, я и укусить могу!

Пальцы воеводы сжались в кулаки:

— Одумайся, Туча! Супротив великого государя идешь!

— А по мне государыня лучше, чем государь. Царевна Софья хоть жалованье обещает исправно платить да за верную службу еще добавит.

— Значит, не о чем нам говорить? — Воевода даже не пытался скрыть разочарования. Посмурнел, будто бы у могилы стоял.

— Получается, что не о чем, князь... Ох, Алексей Семенович, берегись! Как бы шальная пуля тебя не укусила.

Сдержанно кивнув на прощание, полковник Туча зашагал к ожидающим его полкам, увлекая за собой посмирневшего Проскуратова. Обратный путь был долог, от Азова до Подмосковья прошли быстрее, чем вот эти полверсты.

Натолкнувшись на заметно взволнованные взгляды соратников, нахмурился. Не так следовало бы встречать. Вместо прежней решимости увидел он взоры, полные надежд: «А вдруг обойдется?» Не обошлось.

Не было в стрельцах прежнего куража и боевого задора, чем слыли они в турецкую кампанию. Весь свой пыл на красных девках подрастеряли...

— Вот что, стрельцы... Велено нам оружие складывать и сдаваться на милость ближнего боярина Алексея Семенович Шеина. И теперь нам решать: соглашаться или все-таки далее топать до Москвы!

Воины словно окаменели. Предстоящий бой воспринимался ими как данность. От него не спрятаться и не увернуться. А как хочется в очередной раз перехитрить костлявую! И так не хочется помирать, когда до родного дома осталось не более двух десятков верст! На какое-то время над полем установилась тишина. Только какая-то надоедливая птаха теребила души заливистой трелью.

— Мы уже выбор сделали, полковник, — проговорил сотник Медведковского полка Ерофеев. — Идем на Москву. Потому и терять нам более нечего. Всюду худо!

— Значит, решено! Развернуть знамена, стрельцы! Трубач, зови к бою! Пусть враг знает, что мы готовы биться. А теперь выкатываем пушки!

Пушкари спустили орудия с подвод, укрепили. Застыв с зажженными фитилями, пушкари в немом ожидании уставились на Тучу. Медлил полковник, что-то выгадывал, поглядывая на развернувшийся строй государевых людей.

Наконец рука тяжеловато поднялась. Замерла на какое-то время, как если бы призывала к еще большей тишине, и решительно ухнула вниз. Прозвучавший залп смешал передние ряды служивых людей. До стрельцов докатилось перепуганное ржание раненой лошади. Вразнобой затрещали мушкеты, сбив шапку у полковника. Туча поднял шапку, отряхнул налипший сор о колено и с невозмутимым видом натянул ее на самые уши. Теперь не сшибет, супостат!

* * *

Ядра стрельцов угодили во второй ряд рекрутов, тотчас перемешав построение. Упали убитые, стонали раненые, у лошади, запряженной в повозку, оторвало ногу. Животное в ужасе билось о землю, пытаясь подняться. Повозка перевернулась, сбросив в густую траву тяжелые ядра.

— Дурак ты, Туча! — только и произнес Шеин.

Пушкари расторопно выдвинули орудия, подкатили ядра. Генерал-лейтенант Гордон с невозмутимым спокойствием наблюдал за происходящим. За свою долгую жизнь он не однажды выходил победителем из множества баталий, а это сражение было не самым главным в его жизни. Всего-то горстка бунтарей, которую следовало научить уму-разуму!

— Заряжай! — скомандовал он.

И был немедленно услышан.

Пушкари вкатили ядра в стволы, терпеливо прицелились в ряды стрельцов и стали ждать.

— Пли!

Изрыгнув ядра, пушки грузно подпрыгнули.

— Заряжай! — опять выкрикнул генерал, наблюдая за тем, как пушечный залп внес сумятицу в построение стрельцов. Несколько человек было убито, кое-кто ранен.

Первые ряды смешались с последними. Потребуется некоторое время, чтобы наладить прежний боевой порядок. Важно не дать неприятелю опомниться.

— Пли!

Стрельцы рассеялись, но только для того, чтобы перестроиться. Гордон понимал — сейчас стрельцы сомкнутся в строй и попытаются контратаковать.

Следует отбить у них всякое желание к подобным действиям.

— Заряжай!

Пушкари работали расторопно и слаженно. Пушкарское ремесло в России наследственное, и дети пушкарей вместо обычных игрушек перекатывают во дворе ядра. Как бы там ни было, но они ни в чем не уступали мастерам из его родной Шотландии. А где-то даже и превосходили их.

Три дюжины пушкарей в ожидании уставились на генерала.

— Пли! — наконец произнес он.

В уже выстроившиеся было полки ударили тяжелые ядра, заставляя стрельцов отхлынуть в стороны.

На переднем крае генерал разглядел мятежного полковника Тучу, выделявшегося среди прочих своей огромной фигурой. В длинном бордовом кафтане, в шапке набекрень, он что-то кричал отставшим стрельцам. Команды полковника были услышаны. Ряды вновь приобрели должную стройность. Растянувшись во фланг, стрельцы с мушкетами наперевес устремились навстречу наступающим солдатам.

Во время баталий зрение старого генерала чудным образом усиливалось. В такие минуты он способен был рассмотреть колыхающую ветку за добрую версту и сейчас видел перекошенные от гнева лица стрельцов и их руки, сжимающие оружие. Сейчас эти бывалые вояки одержат победу над молодым пополнением, ненадолго задержатся, чтобы добить несогласных, и устремятся дальше — наказывать пушкарей.

Торопиться не следовало. Нужно выждать, подпустить бунтовщиков на предельно близкое расстояние, а тогда и открывать огонь. После такого залпа бунтовщикам уже не подняться.

Рука старого генерала медленно поднималась вверх.

Опережая остальных стрельцов, полковник Ефим Туча устремился прямо на редут. Распахнутые полы кафтана безжалостно рвал ветер, создавая иллюзию, что полковник вольной хищной птицей вознесся над позициями. Вот доберется до передового полка, так когтями и поцарапает!

— Пли! — выкрикнул генерал, вкладывая в крик всю накопившуюся злобу.

Взгляд генерала был направлен в сторону Ефима Тучи. Старый вояка был уверен, что половина пушкарей направили жерла пушек именно на его могучую фигуру, но выпущенные ядра странным образом проносились мимо, падали вдали, взрывали землю вокруг, не причинив полковнику вреда.

Произведенный залп был настолько впечатляющим, что прервал атаку. Немногие стрельцы, остававшиеся в живых, остановились.

А с редута уже раздавался яростный голос боярина, воеводы Шеина.

— Хватай их! Не давай уйти!

Полки, растянувшиеся вдоль редута и с нетерпением ожидавшие своего часа, полетели с косогора вниз, устремившись на разбегающихся стрельцов. Вдогонку зачинщикам прозвучал плотный залп из мушкетов. Еще несколько стрельцов упали на землю, изрядно разрыхленную пушечными ядрами.

К споткнувшемуся стрельцу подскочил бомбардир Бутырского полка и занес над склоненной головой руку с саблей.

— Братцы, помилуйте! — взмолился упавший стрелец, закрывая голову руками. — Ведь свой же я!

— Свои присягу не нарушают, — невесело буркнул бомбардир. Поднятая для удара рука медленно опустилась. — Подымайся! Теперь тобой сыск займется.

* * *

Мятеж был подавлен.

Пленили большую часть стрельцов: кое-кто успел скрыться в лесу. Стрельцов посадили в Вознесенский монастырь под строгий караул, а те немногие, что сумели убежать, неделей позже были отловлены солдатами Преображенского приказа.

Еще через две недели в Москву стали съезжаться бояре. Собравшись в Думе, они отписали странствующему государю письмо о стрелецком бунте. А потом, помолившись скопом в Благовещенском соборе о спасении государя, решили провести лютый иск, дабы выявить злостных зачинщиков.

Сей иск доверили ближнему боярину Шеину.

За работу Алексей Семенович взялся с усердием. Отправив в Вознесенский монастырь посыльного, повелел, чтобы из массы восставших стрельцов были отобраны самые злобные заводчики и смутьяны и отправлены в кандалах под строгим присмотром.

Таких набралось более двух сотен. Заковав стрельцов в тяжелые кандалы, их пешими переправили в Преображенский приказ.

Хозяином Преображенского приказа на время стал Алексей Семенович Шеин. Осмотрев неприветливый кабинет с голыми стенами, он задвинул тяжелое кресло князя Ромодановского в самый угол и повелел принести привычный стул — мягкий, обитый зеленым бархатом. На голые стены распорядился повесить шелка и приказал привести первого зачинщика.

Исхудалого изможденного Ефима Тучу доставили сей же час. На ногах у него были тяжелые колодки, на руках — кандалы, сцепленные тяжелыми цепями. Арестант сделал от дверей небольшой шажок и остановился:

— Вот мы с тобой и свиделись... Ефимушка. Али ты не рад?

— От чего ж не рад? Хоть поговорить есть с кем. Это лучше, чем в яме сидеть подобно зверю лютому.

— Только как же тебя в яме не держать, если ты супротив самого великого государя возмутился?! А теперь скажи мне, Туча, кто у вас за главного? Если скажешь, как было, так и быть... Помилую своей властью в память о былых заслугах. Сошлю куда-нибудь на Украину, там и будешь доживать свой век.

Даже сейчас, скованный цепями, полковник не потерял прежнего величия. Кланяться он не умел, и крупная кудлатая голова с небольшой проседью едва ли не упиралась в потолок. Хотя бы пригнулся малость, почтение оказал, глядишь, и смягчил бы сердце, а Туча, наоборот, пуще прежнего распрямился.

Придется преподать гордецу науку.

— А что другие стрельцы говорят? — спросил полковник.

— Да они все на тебя валят. Дескать, ты смуту заварил.

— Ах, вот оно что... Значит, так и было.

— Стало быть, не отрицаешь, что ты и есть самый главный смутьян?

— Никого не хочу винить, сам виноват.

— Повесим мы тебя, Туча, — вздохнув, проговорил боярин. — А может, и голову отрубим. Сам-то что выбираешь?

— Оно и ладно. Мне ведь так или иначе помирать. Или на поле брани, или на помосте, а то и под топором палача. А веревка... Ну пусть будет петля! Уж насмотрелся я кровушки.

— Последнее желание будет?

— Как же без него? А исполнишь?

— Если в моих силах.

— Повели снять с меня цепь да кандалы, чтобы я мог перед смертью крестное знамение сделать.

— Не велика просьба, исполню. Более ничего не желаешь?

— Тяжко мне здесь, Алексей Семенович. В яму к себе хочу.

— Караул! — выкрикнул боярин Шеин.

На зов явилось два солдата из Преображенского полка — долговязые недоросли. У одного из них на правой скуле — здоровенный синяк, по всему видать, от неумелой стрельбы. У другого щека черна, видать, не смыл с лица пороховую гарь. Состоявшаяся баталия не прошла для них бесследно.

— Отведите Тучу в писарскую комнату.

— А писаря куда? — недоуменно заморгал солдат с синячищем на скуле.

— Да гоните в шею! Найдет, где присесть. Караульте его там и глаз не спускайте. Не в яме же его держать, полковник как-никак! На самом Азове турок бил. — Вытащив из кармана несколько серебряных монет, протянул недорослям: — Мясо на базаре Ефиму купите, а то отощал совсем. Пусть ни в чем отказа не знает. — Махнув рукой, добавил: — Все едино помирать! Вот это, Туча, единственное, что я могу для тебя сделать.

— Благодарствую, Алексей Семенович, — слегка наклонил голову стрелец.

* * *

У границы с Голландией Петра Алексеевича догнал гонец. Выехав вперед поезда, он закричал потеснившей было его охране:

— Письмо государю везу! От ближнего боярина Шеина. Велено передать лично в руки царю!

Петр, выглянувший из окошка кареты на шум, поманил к себе пальцем гонца.

— Давай сюда! Чего там генералиссимус пишет?

Спешившись, гонец подскочил к экипажу и, сорвав с головы шляпу, протянул грамоту:

— Пожалуйте, Петр Алексеевич!

— Водки желаешь? — по-простому спросил царь.

Гонец осклабился, показав крупные пожелтевшие зубы:

— Можно и отведать, государь. Во рту все пересохло, уже сотня верст минула, как с коня не слезаю.

— Алексашка, поди сюда! — распорядился Петр Алексеевич, подозвав денщика.

— Чего тебе, бомбардир?

— Накорми гонца как следует. Да водки дай, сколько утроба примет.

— Вот спасибо, государь.

— А теперь проваливай! Завтра в обратную дорогу поскачешь.

Сорвав печать, государь развернул грамоту. Чем дольше вчитывался Петр Алексеевич в письмо, тем серьезнее становилось его лицо. Свернув послание, он в раздражении зашвырнул его в угол.

— Что кесарь пишет, бомбардир Петр? — посмел потревожить государя Меншиков.

— Семя Милославских проросло, — с ненавистью скрипнул зубами государь. — Стрельцы бунт замутили, на Москву пошли.

— Каково же оно теперь?

— Генералиссимус Шеин их разбил. А так неизвестно, чем бы и закончилось. Знаю, откуда зло идет! От Софьи, сестрицы моей разлюбезной, которая только и желает мне смерти! Скажи, чтобы остановились. И пусть чернила с бумагой мне несут, — приказал Петр.

— Вожжи попридержите! — высунулся Алексашка Меншиков из окна. — Государь отдохнуть желает.

Обоз встал, перекрыв экипажам дорогу. Алексашка проворно выскочил из кареты. Через минуту он вернулся, держа в руках чернильницу и скрученный лист бумаги.

— Вот, государь!

Разложив бумагу на дорожном сундуке, Петр принялся быстро писать ответ: «Князь кесарь Федор Юрьевич! Получил письмо от генералиссимуса Шеина, писанное 7 июня. Вижу, что семя Милославского разрастается, а потому прошу тебя быть крепким. Только крепостью и можно загасить этот огонь. Хотя зело мне жаль полезного нынешнего дела, но спешу возвращаться в Москву. И уж тогда обрушу свой праведный гнев на виноватого...»

— Где гонец? — спросил государь.

— Водку пьет, Петр Алексеевич, — удивленно отвечал Меншиков.

— Зови ко мне!

Привели гонца. Хмельного. Довольного. В русую широкую бороду вкрались крошки хлеба. Похоже, что оторвали от дела.

— Бочонок водки хочешь, гонец? — веско спросил государь.

Разговор с государем начинался весьма занятно и, похоже, обещал много приятностей. А все говорили, что немилосерден. Вон как службу ценит! Даже бочонком водки жалует.

В пьяной улыбке разлепились узкие губы.

— Сгодилось бы, Петр Алексеевич!

— Капуста-то хоть вкусная? — все тем же веселым голосом продолжал допытываться государь.

— Понравилась, долго такую не едал. Люблю квашеную. У немцев-то харч совсем иной.

— Вот что, гонец. Сейчас же обратно в Москву поторопишься. Отвезешь князю Федору Ромодановскому грамоту, — протянул Петр Алексеевич письмо обескураженному посыльному. — А на словах добавишь, что государь отъезжает немедля! Ну чего встал, олух царя небесного?! — прикрикнул царь на холопа. — Ступай, давай! Или мне тебя дубиной поторопить?!

— Слушаюсь, батюшка! — попятился гонец, мгновенно трезвея, а заодно проклиная окаянную службу.

— Так куда мы едем, государь? — спросил Меншиков.

— В Голландию.

— А далее куда?

— К польскому королю Августу. Уж больно мне охота посмотреть, так ли он похож на меня, как об этом молвят.

Глава 13

СТРЕЛЕЦКАЯ КАЗНЬ

Сыск продолжался еще неделю. Поначалу стрельцы отпирались, не желая называть зачинщиков, но когда за дело взялись заплечных дел мастера и в Преображенском приказе затрещали поломанные кости, стрельцы заговорили враз, беззастенчиво перекладывая вину друг на друга.

Когда зачинщиков выявили и была определена вина каждого в отдельности, генералиссимус Шеин повелел плотникам рубить на Болотной площади у Кремля помост для виселиц.

Казнь состоялась ясным июньским утром. Горожане пришли во всем новом, будто бы на праздник. Кажется, даже бродяги, пробившиеся в первые ряды, для такого случая обновили ветхие лохмотья.

Ожидание не затянулось. В восемь часов к площади подъехала первая подвода с арестантами. Караул, нещадно матеря толпу, плеткой и кулаками расчищал дорогу к свежевыструганному помосту. Пахло тесаным деревом, от стоящих неподалеку горожан потягивало винным перегаром.

Толпа раздвигалась неохотно, как будто бы вбирая в себя телеги с разместившимися на них кандальными. Стрельцы, сидящие на краю повозок, выглядели равнодушными, безучастно посматривали на людей, собравшихся на площади. Взгляды спокойные, даже где-то умиротворенные. Все страхи остались в пыточной палате. Только драные рубахи на искалеченных телах свидетельствовали о тех невзгодах, которые выпали на их долю.

Вот кто-то из стрельцов, явно храбрясь, затянул разудалую песню, но она так же неожиданно оборвалась, встретившись с плетью сотника:

— Приехали! Слезай!

Стрельцы неуклюже соскакивали на брусчатку. Ехать бы так всю оставшуюся жизнь! Да вот не суждено — дорога уперлась в помост.

Казнью заправлял заплечных дел мастер Матвей. Дело привычное — поставил приговоренного на скамеечку, приладил петлю под самый подбородок, чтобы не сорвалась, а потом по скамеечке ногой...

И готов!

Стрельцы поднимались на помост без боязни, спокойно. Страх остался в Преображенском приказе. Перекрестившись, кланялись на три стороны и только после того подходили к палачу.

На помост вышел глашатай в длинном кафтане, развернул грамоту и принялся читать звонким и сильным голосом, способным достучаться до самого отдаленного уголка Болотной площади:

— Государь повелел, а бояре приговорили повесить за государственную измену бунтарей и зачинщиков Степку Вязаного, Николу Хромого, Ивашку Головню...

Глашатай медленно и выразительно назвал каждого приговоренного, то и дело всматриваясь в притихшую толпу. Кто-то скорбно охнул. Где-то у мясной лавки горько запричитала баба. Невозмутимым оставался только караул, у присутствующих невольно создалось впечатление, что происходящее относится к кому-то другому.

— Итого... пятьдесят шесть изменщиков...

Свернув грамоту, глашатай сошел вниз, смешался с толпой и тут же был забыт.

Главным действующим лицом оставался палач Матвей. Вот кто умеет лицедействовать! Глянул поверх голов на торговые лавки, почесал широкой пятерней расхристанную волосатую грудь, на которой был приметен огромный медный крест, зевнул разок и внимательно всмотрелся в собравшихся.

Ротозеи! Теперь можно и за дело.

Медлить не стал, примерившись, пнул небольшую лавку, на которой стояли приговоренные и, не глядя на извивающиеся тела, заторопился встречать следующие жертвы.

Дело привычное.

* * *

Ответ от Петра Алексеевича не заставил себя ждать. Одно письмо было обращено к Боярской думе, которую он ругал за безволие и обещал распустить по прибытии. Второе досталось генералиссимусу Шеину, где царь упрекал его в том, что тот не сумел обнаружить связи бунтовщиков с царевной Софьей Алексеевной. А вот третье со специальным нарочным было доставлено ко двору князя Федора Ромодановского.

Оторвав печать, Федор Юрьевич не без волнения развернул грамоту и углубился в государево послание, преисполненное жалостью к собственной персоне.

«...Понадеявшись на тебя, Федор Юрьевич, я оставил тебе свое царствие. Полагал, что ты много испытал в искусстве правления. Уповал, что только ты сумеешь усмирить лихих людей. А они заговоры творят, добрых людей на бунт подбирают. Не будь ближнего боярина Шеина, так я и вовсе бы царствия лишился. А ведь и твой батюшка при царе Алексее Михайловиче покой охранял и почитание от него имел. Бог тебе судья, Федор Юрьевич! Ни в чем тебя не корю, а только сыск проведи, как и следовало твоей персоне и твоему приказу. А иначе как мне быть? Неужто в неверности своих ближних холопов винить? Более мне ничего не остается, как только оставить свои посольские дела и спешно возвращаться в Москву».

Дочитав письмо, Федор Юрьевич плюхнулся на стул. Утер рукавом проступивший на лбу пот. Было от чего впасть в уныние.

— Серафима! — закричал князь Ромодановский. — Серафима! Где тебя носит?!

На крик вбежала сенная девка, пышная, как сдобный калач.

— Чего, батюшка?

— Рубаху живее неси! — грозно распорядился Федор Юрьевич. — Запарился я.

Белесые губы недоуменно вспорхнули.

— С чего бы это, батюшка? На улице-то не жарко. Вот и избу ветром выстудило.

— Поговоришь у меня еще. Сказано рубаху неси. Да понаряднее, — распорядился князь. — Ту, что с петухами горластыми.

Девка метнулась к двери.

— Да постой ты, побегунья! — попридержал ее князь Ромодановский. — Порты еще прихвати. Те, что в полоску. И скажи Егору, что я его жду.

— Все сделаю, Федор Юрьевич.

Грузно переваливаясь, девка заторопилась к двери. Князь остановил свой взгляд на ее прелестях, подмечая, как плоть волнующе заколыхалась. Жаль — не время сейчас.

Да и поостыл тотчас. Не время!

Прервав посольские дела, Петр Алексеевич спешно направляется в сторону России. Как только явится в Москву, тогда спросит строго. Осталось не так уж много времени, чтобы завоевать утраченное доверие государя.

Вбежала запыхавшаяся Серафима. В руках у нее стопкой выложена чистая одежда.

— А Егорка где?

— Во дворе нет. Послали звать в приказ.

— Ладно, явится, — отмахнулся стольник. — Ты вот что. Кафтан мне помоги снять. Да не шибко тяни-то. А то с корнем мужское добро вырвешь.

— Сама и налажу, — пообещала, хихикнув, девка.

— Ишь ты, какая озорница! — пожурил князь. Не без удовольствия оглядев пышные формы девицы, осторожно полюбопытствовал: — Уж больно ты кругла, Серафима... Мнет ли кто такую красу? Или пустоцветом вянешь?

— Ох какой вы любопытный, батюшка! — фыркнула толстуха. — Да девица я!

— Чего стоишь? Ступай! Не до тебя мне нынче!

Федор Юрьевич подошел к зеркалу. С кручиной отметил, что безделье на пользу не пошло, туловище раздуло будто от водянки. Видать, с вином придется малость повременить, а то скоро в дверном проеме станет застревать. Вот будет тогда потеха!

Набросив рубаху, князь Ромодановский обнаружил под мышкой небольшую прореху. Что за баба такая окаянная, обязательно чего-нибудь не досмотрит, только блины умеет уминать! Кнутом бы ее проучить, а то и на дыбу вздернуть, вот тогда бы разом поумнела.

Вошел Егор. Глаза плутоватые, на господина не смотрит.

— Чего изволите, Федор Юрьевич?

— Выпороть я тебя изволю, вот что, — хмуро пробасил князь.

— Это за что же, батюшка? — не очень-то и удивился детина.

— А девок пугаешь почем зря, — насупился князь.

— Да кто же поносит такое! — вполне искренне возмутился добрый молодец.

— А вот донесли... Матрену во дворе как-то тиснул. На титьках синяк у нее теперича здоровенный. Евдокию к поленнице прижал. С твоими ручищами так и титьки оторвать можно! Или ты думаешь, что раз я хворый, так ни о чем и не ведаю?

— Да бес попутал, Федор Юрьевич, не погуби! — взмолился исправник.

— Женки, что ли, не хватает? — не то посочувствовал, не то упрекнул Ромодановский.

— Уж больно девки у тебя во дворе сладкие шастают, Федор Юрьевич, — опустив голову, повинился отрок. — Куда ни глянь, всюду красота несусветная. Да и круглы со всех сторон. Вот и не удержался!

— Ладно... Что с тебя возьмешь, дурня, — вздохнул князь. — Но в следующий раз выпорю, так и знай! Ты мне вот что сделай... Отыщи-ка сотника Ерофеева.

— Это который из стрельцов?

— Его самого. Затейные важные непристойные слова о государе батюшке говорил. Как найдешь злодея, веди немедля в Преображенский приказ. Диву даюсь, почему с него сыск не начали. Он ведь и шестнадцать лет назад смуту заваривал, да и сейчас без него не обошлось. И я скоро сам туда заявлюсь.

— Сделаю, Федор Юрьевич, — облегченно выдохнул Егорка, понимая, что в этот раз опала прошла стороной. — Только где же его искать? После сыска он у себя не живет, где-то прячется.

— Мне тут донесли, что на Полотняной улице объявился. Вот и поищи! И мне доставь. Иначе душу выну! Уяснил?

— Как не уяснить? Уяснил, Федор Юрьевич, — проговорил приказный и тотчас юркнул в распахнутую дверь.

* * *

Поиски начались в следующий же час.

Собрав роту солдат, Егорка направился на Полотняную улицу. Горожане, перепуганные нежданным визитом, попрятались в избы и, поглядывая через слюдяные оконца на солдат, негромко молились о том, чтобы лиходеи проследовали сторонкой.

Искать беглецов Егору было не впервой.

Первым делом он повелел солдатам окружить Полотняную улицу и встать в охранение. Самолично проверил оцепление и, убедившись в том, что встали так крепко, что не проскочишь, наказал загородить даже огороды с заимками, где молодежь, спрятавшись от пригляда, проживала по-взрослому.

Взяв с собой две дюжины служивых, Егорка обходил дом за домом, пугая свирепым видом слободских жителей. Расторопные солдаты обегали сараи, заглядывали в подвалы, однако зачинщика не смогли сыскать.

Повезло в предпоследней избе, где проживала многодетная семья сотника Стародубского полка. Прятаться беглец не стал. Поклонившись с порога входящему Егору, он упросил не казнить домочадцев и, заложив руки за спину, в сопровождении солдат потопал к повозке.

* * *

Федор Юрьевич и раньше не любил выезжать к приказу в одиночестве, а сейчас решил обставить свой выезд с особой торжественностью.

Пусть все видят — хозяин явился!

Карета, за которой следовали верховые, прокатилась до Преображенского приказа, пугая всякого встречного. Поостерегись, народ, владетель прибыл!

Распахнулись широко трехстворчатые ворота, впуская судью Преображенского приказа.

— Тпру, стоять! — натянул вожжи лихой возница, и карета, перекатившись колесом через битый камешек, остановилась вблизи от парадного крыльца.

Распахнув дверь, Федор Юрьевич недовольно рявкнул, ткнув перстом в огромную лужу:

— Чего же ты, дурень, не смотришь?! Неужто думаешь, что я тут шастать стану? Разбаловались без меня! Посидишь два дня в яме, так сразу за ум возьмешься. А ну поди сюда! — позвал он солдата, стоящего на карауле. Молодец расторопно подскочил к карете.

— Спину давай подставляй, через лужу перенесешь. Да смотри не урони, а то помрешь под батогами!

Солдат наклонился, и Федор Юрьевич крепко ухватил его за плечи.

— А теперь вези меня... Да не тряси так, а то всю начинку из нутра выбьешь. Сыт я по горло!

Ступив на крыльцо, князь Ромодановский оглядел хозяйство. Нашел, что оно весьма справное и, наподдав для порядка подзатыльник склонившемуся в великом почтении вознице, вошел в приказ.

— Ну и запах тут у вас! — пожаловался он, поведя носом. — Кровищей так и прет за версту! Вы бы хоть проветрили, что ли, — взглянул он на Егора.

— Сделаем, Федор Юрьевич!

— Так, где наш герой?

— В Пыточной палате твоей милости дожидается.

— Да не скачи ты под ногами! — раздраженно проговорил князь. — Уж как-нибудь и без тебя до пыточной доберусь. Чай, не впервой бывать!

В Пыточной палате, привязанный к широкой лавке, находился сотник Ерофеев, а подле него в длинной красной рубахе навыпуск огромной горой возвышался палач Матвей. Заприметив вошедшего судью Преображенского приказа, стрелец улыбнулся окровавленным ртом и произнес:

— Наконец-то Федор Юрьевич пожаловал, а я-то думал, что и не дождусь. Повели им меня развязать, князь, а то ведь так и помереть можно.

Пододвинув стул, Федор Ромодановский присел рядом и, покачав скорбно головой, произнес:

— Здравствуй, Верста... Кажись, так тебя надобно величать.

— А ты не забыл, Федор Юрьевич.

Ромодановский усмехнулся:

— Разве такое позабудется? Вон как тебя угораздило, сотник. А теперь скажи мне, голубь ты сизокрылый, кто в этой смуте виноват? Царевна Софья?

Сплюнув кровавую слюну на пол, стрелец прошипел:

— Кому тогда знать, как не тебе, стольник? Неужели ты не помнишь, когда я...

— Дать ему десять кнутов! — перебил князь.

— За что же, Федор Юрьевич?

— Уж больно язык у тебя длинный. Да смотри на половины его не рассеки, — строго предупредил князь, — мне с ним еще поговорить нужно.

Кнут взметнулся, ужалив хвостом потолок, и с сердитым свистом опустился на спину арестанта.

— Ы-ы-ы! — взвыл острожник.

На седьмом ударе стрелец потерял сознание. Руки безвольно свесились, а тело лишь слегка и безвольно раскачивалось при каждом ударе.

— Ишь ты, слаб оказался, — подивился князь Ромодановский, заглядывая в посеревшее лицо. — Освежи его.

— Это можно, Федор Юрьевич, — охотно согласился палач. — Водичка колодезная, только что привезли.

Зачерпнув до краев ведро, мастер Матвей понес его к арестанту, расплескивая по пути.

— Ну что за кретины в государстве! — посмурнел Федор Юрьевич. — Ты смотри, куда хлещешь! Чай, не по двору шастаешь!

— Виноват, батюшка!

Примерившись, Матвей с размаху окатил водицей безжизненное лицо стрельца.

— Ага, зашевелился, — обрадованно протянул

князь. — Занятная у нас с тобой беседа получается, голубь ты мой сизокрылый, — ласковым голосом протянул он. — Ответь мне на вопрос: так ты заговорщик?

— Не больше, чем ты, князь, — прошелестел разбитыми губами Верста. — Али запамятовал?

— Что-то загадками ты говоришь, стрелец, — покосился Ромодановский на стоящего подле палача. — Отвечай, что спрашиваю. Кто тебя на бунт надоумил? Царевна Софья?

— Али ты сам не знаешь, Федор Юрьевич? — спросил сотник. — Может, ты нашу последнюю встречу запамятовал? Кажется, обещался ты Софье Алексеевне верой и правдой служить! Али не так?

Князь Ромодановский побагровел:

— Двадцать кнутов изменнику!

— Не выдержит, князь, — сдержанно предупредил палач.

— Тем хуже для изменщика, — приговорил главный судья, покидая избу.

* * *

За сыск Федор Юрьевич Ромодановский взялся рьяно, как умел делать только он один. В ближайшие сутки был составлен полный список самых рьяных бунтовщиков с их отличительными приметами и спешно разослан нарочными по всем городам и весям, с требованием к воеводам отловить изменщиков и под строгим караулом переправить в Москву. Уже на следующий день, заковав крепко в железо, в Белокаменную стали доставлять первых бунтовщиков.

Им рвали ноздри, подрезали языки, жгли пятки и клеймили лбы, и стрельцы, не выдерживая пыток, оговаривали товарищей, винили царевну Софью.

Дважды князь Ромодановский посылал солдат к Софье Алексеевне, но всякий раз спешно вдогонку отправлял посыльного с требованием возвращаться назад.

Вот возвернется из чужбины хозяин земли русской, тогда и переговорит с сестрицей.

Несколько дней опальных стрельцов держали без пищи, а потом, сжалившись, Федор Юрьевич разрешил собирать им милостыню в базарный день.

Громыхая цепями, волоча пудовые кандалы, нагоняя страх на всех, кто их зрел, стрельцы прошли сквозь торговые лавки, слезно прося подаяние. В их облике уже ничего не осталось от прежних лихих молодцев, посмевших перечить самому великому государю. Прежнее удальство они разменяли на лохмотья да на кровоточащие раны. Но даже принимая от сердобольных сограждан краюху хлеба, спины не гнули, благодарили скупо, как если бы получали должное.

Весь следующий день стрельцы прожили сытно и во хмелю. В какой-то момент им даже показалось, что опала рассеялась, и в усталые души проник лучик надежды, но еще через сутки дверь казематов распахнулась и расхристанный Матвей, шутовски поклонившись арестантам, произнес:

— Пожалте, господа стрельцы, виселицы готовы! Да и народ уже собрался, ждут вас!

Умирать на миру даже как-то и не боязно. Обнявшись, они попросили прощения у товарищей за невольные обиды и рядком потянулись к выходу.

Через три часа глашатай зачитал приговор, и четыре дюжины стрельцов были повешены на Красной площади.

Глава 14

СОКРУШИ ГОСУДАРЫНЮ

Не часто Степану Глебову приходилось взирать на царя столь близко. Их разделял всего-то небольшой квадратный стол, на котором лежала небрежно нарезанная колбаса и куски хлеба. Стол был покрыт грязными пятнами, следами пролитого пива.

— Алексашка! — неожиданно позвал царь.

Из угла каморки раздавался размеренный храп, — просыпаться Меншиков и не думал. Резко поднявшись, Петр Алексеевич растолкал его сапогами.

— Неужто не слышишь? Государь тебя кличет!

— Виноват! — вскочил на ноги Меншиков. — Что-то дрема одолела.

— Убери со стола!

— Сейчас, мигом, — перепуганный Меншиков принялся усиленно натирать поверхность стола тряпкой. — Лучше прежнего будет, — смахнул он остатки пищи в корзину.

Указательным пальцем государь провел по поверхности стола. Вновь брезгливо поморщился.

— Поди сюды, башка твоя бесталанная, — подозвал царь Меншикова вновь, а когда тот приблизился, старательно вытер ладони о его кафтан. — Еще раз оставишь грязь, так повелю сожрать все ошметки!

Можно было не сомневаться, что так оно и случится. Невинная шалость в духе Петра Алексеевича.

Уже через минуту откуда-то взялась белоснежная скатерть, торжественно укрывшая стол. Царь Петр сел на стул, сложив крупные руки перед собой.

Трудно было поверить, что государь проспал два часа. Выглядел Петр Алексеевич необыкновенно свежо, как будто бы не было полведра выпитой водки и бессонной ночи, проведенной на ногах.

Уже неделю продолжался нешуточный пир по случаю прибытия посольства на новое место, сводивший с ума жителей провинциального городишки. Под самое утро помазанник божий вернулся к себе в каморку, беззастенчиво растолкал спящего Меншикова, заставил его расправить постель и, скинув с себя одежду, плюхнулся на перину. Проспал Петр ровно два часа, однако этого ему хватило, чтобы полностью восстановить силы. Проснувшись рано поутру, самодержец набросил на плечи коротенький халат, сделал какие-то указания секретарю, едва продравшему глаза, и, наскоро перекусив, отправился на верфи.

В течение дня он успел побывать всюду, заводя попутно многочисленные знакомства. Английские матросы, оказавшиеся в городе, уже принимали его за своего, называли Питером и приглашали за свой стол выпить пунша. Рабочие на верфи звали его помочь в укладке бревен, а дородные морячки, оставшиеся без мужниного присмотра, зазывали скоротать ночь.

В любом месте, где бы ни находился государь, он мгновенно обрастал приятелями и знакомыми, с которыми всегда держался по-простому, как это было принято в Немецкой слободе. Многие отказывались верить, что целый вечер выпивали пиво в компании русского царя. Только когда дворяне, наконец, отыскивали Петра в очередной захудалой таверне и яростно клали поклоны у самых дверей, последние сомнения рассеивались.

Его день был насыщен до предела. Окружение, обессилив, уже валилось с ног, а царь Петр вдруг выдумывал новую затею — посетить, к примеру, ткацкую фабрику, изготавливавшую парусину для фрегатов.

Успокаивался Петр Алексеевич только за полночь где-нибудь в таверне, в кругу вновь обретенных друзей. Поспав всего два часа, начинал жить с прежней интенсивностью.

От выпитого у Степана Глебова раскалывалась голова. Внимательно всматриваясь в лицо государя, он пытался отыскать в его внешности признаки нездоровья, однако ничего не находил. Хлебнув с похмелья ковш рассола, Петр выглядел на удивление бодро.

— Голова болит? — участливо поинтересовался государь.

— Только самую малость, Петр Алексеевич, — страдальчески поморщился Степан, пытаясь понять, отчего это вдруг царь сменил гнев на милость.

— Это с непривычки, — заключил Петр. — Тут, брат, закалку надо иметь. Ничего, со мной попьешь с недельку, тогда все в порядке будет.

Меншиков уже вернулся и, разложив в углу комнаты покрывало, тихонько посапывал.

— А ну-ка иди отсюда! Нашел где спать!

Меншиков вскочил и немедленно удалился.

— Добр я, Степан, вот все и пользуются моей добротой, все кому не лень. Не исключая и саму царевну.

При последних словах взгляд Петра как-то посуровел. Степан невольно сглотнул слюну: «Неужели знает?» Но уже в следующую секунду Петр Алексеевич продолжал тем же безмятежным голосом:

— А отказать я не могу. Для всех как отец родной! Одному гривенник на опохмелку надо. Даю. Другого гвардейцы побили, и опять ко мне, защиту просить. Третий жениться хочет, а девка его не любит. И здесь без меня не обойтись, сватом зовут. Так что получается, что без Петра никак нельзя. Если помру, так царство мое развалится, — испытующе посмотрел государь на Степана.

Окольничий, вжавшись в стул, не смел дышать, не зная, как воспринимать откровения Петра Алексеевича. Не то это знак монаршьего расположения, не то предвестие скорой опалы. Покосился Степан на дубину, бесхозно приставленную к столу. Такое впечатление, что царь о ней позабыл. Но в действительности это не так. Петр Алексеевич вспоминал о своем орудии наказания всегда, когда сталкивался с нерадивостью.

Пока не бьет, и то славно!

Переборов страх, Степан заговорил, стараясь придать своему голосу как можно большую боевитость.

— Как же мы без тебя, государь? Рассыплется все! Чего же нас сиротами делать!

— Дай я тебя расцелую, — восторженно воскликнул Петр, стиснув голову окольничего ладонями, и смачно поцеловал его в лоб. — Вот на таких мужах, Степан, как ты, и держится наше отечество.

Степан хотел было утереть рукавом лоб — губы у государя оказались слюнявыми, — но вовремя остановился. Расслабляться тоже не следовало — Глебов знал немало примеров, когда от любви государь переходил к необузданному бешенству, ломая о хребты нерадивых слуг кабинетную мебель.

— Что ты думаешь о царице? — неожиданно спросил Петр Алексеевич, буравя Глебова взглядом.

Сглотнув неприятный ком, Степан почувствовал, как губы разошлись в нелепой улыбке.

— Петр Алексеевич, она государыня наша, Евдокия Федоровна, а мы все для нее холопы.

— Так-то оно, конечно, так, — легко согласился Петр. — А ведь только мне известно, что прежде ты ее Прасковьей называл... До того, как она царицей Евдокией стала. Ваши дворы рядышком стояли. Знаю, что по лесу до зари шастали... Чего же ты с лица-то сошел, Степан? Неужто плохо стало? Как бы ты не помер. Может, тебе рассольчику налить? Алексашка! Ковш рассола неси! Неровен час, отдаст наш гость богу душу, нам его хоронить, а для казны это разорение одно. В прошлом месяце Макарка помер, так мы на него полтора рубля потратили... А потом еще пятьдесят, когда за его упокой пили!

— Петр Алексеевич, помилуйте, — взмолился в страхе Степан Глебов. — Не было промеж нас греха!

— Помилую, голубчик, помилую, — радостно отмахивался государь. — Как же не помиловать. Я тебе даже еще и пособлю. Ты давай рассолу испей, да капустки квашеной закуси. Меншиков! Вот что, милок, дай гостю нашего рассола пряного, да не забудь еще капустки положить, весьма пользительно для здоровья.

— Угощайся, милок, — ухватив жменю квашеной капусты, поднесенной Меншиковым, Петр дал ее Степану. — Сам государь тебя из рук кормит, не каждому подобная честь выпадает. Ну-ка, отворяй пошире ворота.

Степан открыл рот, и царь, не считаясь с неудобствами окольничего, принялся впихивать ему в горло лохмотья капусты.

— Вот так, милок. Чувствуешь, какая приятность?! Я без квашеной капусты не могу, вот потому и вожу с собой. У немцев такой сладости не отыщешь.

Степан, пытаясь противиться, отпихивал капусту языком, а государь, превозмогая сопротивление, толкал ее все дальше в глотку.

— Тут главное — не подавиться от такой радости и меру знать. Вижу, что тебе понравилось угощение. Ох, как глазенки-то забегали! Алексашка!

— Я здесь!

— Наш гость добавки хочет. Видишь, как очи таращит.

Струпья капусты падали на ворот, пачкали кафтан окольничего, а государь, казалось, не замечал неудобств.

— Посмотри, Алексашка. Что-то нашего гостя перекосило, — сочувственно протянул Петр.

— Кажись, в горле у него пересело, — предположил Меншиков, слегка постукав себя ребром по шее.

Степан Глебов, не в силах вымолвить и слова, усиленно работал челюстями.

— Нет, брат, — озадаченно протянул Петр Алексеевич, помотав головой, — тут нечто посерьезнее будет. Надо бы ему по хребту дубиной постучать. Верное средство, в один раз излечит. Алексашка! Где там моя дубина?

— Здесь она, — угодливо протянул Меншиков трость костяным набалдашником вперед.

— А ну подставляй хребет! — Примерившись, Петр ударил точно по середине спины, заставив Степана поперхнуться. — Кажись, проскочило! — радостно завопил государь. — Ну теперь полегче будет.

Дубина гуляла по плечам и спине окольничего.

— Помилуй, государь!

— Вот видишь, — отложил Петр Алексеевич в сторону трость. — Я же тебе говорил, что дубина — лучшее средство от большинства болезней. Дай же я тебя еще раз поцелую! — притянув Глебова к себе, государь крепко чмокнул его в потный лоб. — Полегчало?

— Еще как полегчало, государь, — вяло улыбнулся Степан Глебов, посмотрев на тяжелую трость, приставленную к столу.

За время посольства это была уже вторая трость. Первая, такая же тяжелая, не выдержав усиленной нагрузки, неделю назад треснула на спине боярина Волконского, и Петру Алексеевичу пришлось срочно подыскивать подходящий материал.

— Вот и славно. Так о чем мы с тобой говорили?.. Ах, да! — хлопнул себя ладонью по лбу Петр Алексеевич. — О супруге моей благоверной, Евдокии Федоровне... Значит, говоришь, не было промеж вас греха?

Спина Глебова невольно согнулась в ожидании очередного удара:

— Не было, государь.

— Так вот я тебе хочу сказать, Степа, — голос Петра Алексеевича понизился почти до шепота. — А сейчас должно быть. Сокруши государыню!

Глебова охватил ужас. Губы беспомощно дрогнули, следовало бы подобрать подходящую тональность и подыграть государевой шутке, но как это сделать безопасно, Степан не представлял. Пришлось таращиться на царя и мучительно дожидаться, когда он сам нарушит затянувшуюся паузу.

Петр Алексеевич неожиданно нахмурился:

— Я не шучу. Считай, что это твоя государева служба. Тебе понятно, дурья башка? — грозно спросил царь. — Или мне опять за помощью к дубине обращаться?

— Понятно, Петр Алексеевич.

— Так-то оно лучше будет, — с заметным облегчением произнес государь. — Чем раньше царевну обольстишь, тем лучше. — Задумавшись, добавил: — Лучше бы, конечно, при свидетелях. Неплохо было бы, чтобы и бояре присутствовали, тогда ей не отвертеться. Ну так что, послужишь государю?

— Жизни своей не пожалею! — воскликнул Степан Глебов.

— Ха-ха-ха! А может быть, не жизни, а кое-чего другого? Ладно, повеселились и хватит, — сурово произнес Петр Алексеевич, — дело серьезное. Отбываешь сегодня же. Будешь писать мне обо всем без утайки. — Неожиданно его губы растянулись в доброжелательной улыбке: — А там, может быть, я тебе сам чего-нибудь подскажу. А теперь ступай! Не до тебя. Дел полно!

* * *

Вытащив пакет, скрепленный сургучовыми печатями, посыльный вошел в гостиницу. По скрипучей лестнице поднялся на второй этаж, где находилась комната Петра. Из-за двери раздавался женский визг — государь веселился.

Могло показаться, что за границу Петр отправился только для того, чтобы насытить утробу добрым вином и познать всех имеющихся прелестниц. Судя по тому, как продвигались у него дела, царь преуспевал. Женщины проходили через его кровать потоком, и оставалось только удивляться качеству и крепости спального гарнитура.

Государь громко хохотал, девки визжали. Веселье двигалось полным ходом.

Перекрестившись, курьер вошел в покои. Царь сидел на кровати, а на его коленях разместились сразу две девицы — по одной на каждом. Не замечая вошедшего, Петр нежно поглаживал женские перси, вызывая у девиц веселый смех. Похоже, что здесь он научился некоторым галантным приемам. Ведь самое большее, на что он был способен прежде, так это шлепнуть по пышному заду понравившуюся женку или смеха ради зарыться колючими усами в ее грудь.

Отбив от порога двадцать поклонов, посыльный обратился к Петру:

— Государь...

— Чего хотел? — весело поинтересовался Петр у оробевшего посыльного.

— К тебе письмо от князя Ромодановского.

Царь мгновенно сделался серьезным.

— Пошли вон, — стряхнул он девиц с колен. И, повернувшись к Меншикову, который сидел в углу комнаты, распорядился: — Дай им по талеру. Хотя они и того не отработали. Я за талер сразу трех девиц могу купить!

Взяв по монетке, девушки удалились, громко стуча каблуками по деревянной лестнице.

— Давай сюда пакет! — вскинул руку Петр.

Подскочив к государю, рассыльный протянул конверт. Разломав сургучовые печати, Петр вытащил грамоту. Быстро прочитав, небрежно засунул его обратно в конверт.

— Грамоте обучен? — обратился он к посыльному.

— А то как же, — обиделся отрок. — Я еще немецкий знаю, по-голландски говорю.

— Ишь ты какой прыткий, — одобрительно протянул государь. — Молодец, пиши... «Генералиссимусу князю Федору Юрьевичу... Мой дорогой король...»

Посыльный удивленно посмотрел на Петра.

— Так и писать, государь?

Царь Петр всплеснул руками:

— Послал мне господь подданных! Сказано же было — король! Он же за меня на государстве остался, а я всего лишь бомбардир Петер Михайлов. «Письмо вашего величества, государя моего милостивого мне передано». Написал?

— Написал, государь, — поспешно согласился посыльный.

— «Прочитал с интересом. Про изменщика и холопа окольничего Степку Глебова ведаю. Допрошен с пристрастием. А теперь помоги мне спровадить государыню Евдокию Федоровну в монастырь. Для этого отправляю Степку Глебова с посыльными в Россию. Было у нас с ним условие, о чем тебе, любезнейший и милостивый князь Федор Юрьевич, было отписано ранее. Пусть дьяк Маршавин за Степкой присмотрит, дабы сделано было так, как задумалось. О государыне Евдокии Федоровне желаю знать все, а потому не следует принимать слова Степки на веру. Ты его испытай да поговори с ним пообстоятельнее, как ты умеешь. Мне важно знать правду. Как сознается в грехе, отпусти, но глаз с него не спускай. Он мне нужен как свидетель, ежели патриарх не поверит». Успеваешь?

— Успеваю, государь.

— Хм... И почерк у тебя хороший. Может, тебя в писари определить? Ладно, подумаю, что с тобой делать. «А на том кланяюсь тебе, холоп твой, бомбардир Петер Михайлов». Алексашка! — громко окликнул государь. — Сургуча не жалей. Запечатай грамотку! А ты, — повернулся он к посыльному, — чтобы в срок донес, иначе шкуру спущу!

* * *

— Стало быть, прибыл Степан? — спросил Федор Юрьевич, запахивая полы кафтана.

— Прибыл, князь, — бойко отвечал Егорка.

— Ишь ты, — хмыкнул невесело Ромодановский. — Чего ж тогда перед моей милостью не предстал? Это что ж такое получается? Считает, что я по всей Москве должен за ним бегать? — Сердито собрав брови на переносице, добавил: — Ну ежели он так хочет, тогда окажу честь. Побегаю! Вот что, Егор, готовь карету к выезду.

— Слушаюсь, князь! — отвечал исправник и тотчас заторопился на конный двор.

Грузный, огромный Федор Юрьевич не был малоподвижен. Он будто бы не ходил, а катался по двору, как огромный ком, заставляя челобитчиков в страхе разбегаться по сторонам. Прокатится такая глыбища по телесам и, не заметив, последует далее.

Вылетев на порог, Федор Юрьевич утер пот, проступивший на лбу и, поманив к себе пальцем десятника, спросил:

— Готово?

— Все сделали, Федор Юрьевич. А еще веревки заготовили, если вдруг шалить начнет.

— Тогда поехали! Запрягай коней.

Как и подобает князю, Федор Юрьевич выезжал в карете, запряженной шестеркой резвых коней, которую всегда сопровождали две дюжины всадников, вооруженных пищалями. Если выезд был недалеким, то к ним присоединялось еще с полсотни слуг с бердышами. К ним присоединялось пять трубачей, возвещавших о выезде знатного вельможи. В сей раз ехать было недолго — всего-то пересечь две улицы, а там и дом опального Глебова.

Почесав затылок, Ромодановский добавил:

— Трубачей не надобно... Голова с похмелья болит. Пеших тоже.

— Сделаем, князь, — поклонился десятник.

— Шубейку мне принеси, — распорядился Федор Юрьевич, взглянув в посеревшее небо. — Не ровен час, застужусь!

— Сейчас, батюшка, — подскочил денщик с соболиной шубкой наперевес. — Вы бы рученьки в рукава.

— Дурень, — беззлобно отозвался князь Ромодановский, — а дородность подправить?!

— Ну конечно, батюшка, — застыл денщик с расправленной шубой.

Расслабив ремень, князь Федор Юрьевич подвязал его под самый живот, от чего стал выглядеть еще более внушительно.

— А вот теперь можно и шубейку!

Подогнали карету. Извозчик, рябой малый лет девятнадцати, натянув поводья, ждал, пока князь перевалит свое грузное тело в карету. Экипаж слегка просел, но с тяжестью справился достойно, только скрипнуло колесо, предостерегая о предельном весе.

— А ну пошли, родимые! — просвистел кнут над головами лошадей.

Экипаж дернулся и затрясся на неровной дороге. Впереди, вооружившись плетью, скакал десятник и, замечая прохожих, орал во все горло:

— Шапки долой!

Проехали две улицы и, завернув в переулочек, остановились перед высоким деревянным домом в три клети. Всадники мгновенно спешились и направились к двустворчатым воротам. Подскочивший слуга проворно распахнул дверцу.

— Скамейку, дурень, давай! — распорядился Ромодановский.

Вытащив из кареты скамейку, денщик подставил ее под ноги Федору Юрьевичу.

— Пожалте, князь.

Опираясь на плечи денщика, князь ступил на скамью и уверенно сошел на землю.

— Ну что за олухи! Чего замерли?! — сокрушался боярин. — Ничего без меня не могут. Колоти в ворота.

Десятник, малый саженного роста, скинув с плеча бердыш, уверенно заколотил в ворота.

— Хозяева, отворяй ворота! Гости пожаловали.

В глубине двора, проявляя свирепый нрав, затявкала собака. Ей в ответ так же яростно с соседнего двора отозвалась другая.

— Иду, иду! — раздался встревоженный мужской голос. — Открываем.

Звякнула отодвигаемая задвижка. Ворота распахнулись, и в проеме показалась кудлатая белобрысая голова.

— А ну подь отсюда, — сурово отстранил десятник перепуганного отрока и уверенно прошел во двор. — Хозяин, почему гостей не привечаешь?!

— Так нет хозяина, — робко отвечал отрок.

Один за другим во двор вошли стрельцы. Оглядели ладное хозяйство, насупились. Хозяин жил в достатке. В глубине двора находились огромный амбар и высокая конюшня. Двор был тщательно подметен, будто гостей ожидали. Следом за стрельцами, тяжеловато переваливаясь через порожек, во двор вошел Федор Юрьевич Ромодановский.

Из дома, кланяясь, выбежали слуги. Потом, соблюдая достоинство, вышла из-за спины челяди хозяйка, в платье которой вцепилось два отрока. Один совсем маленький, полутора лет, другому было лет пять; он смотрел хмуро, настороженно, явно ожидая от гостей каких-то пакостей.

Из-под цветастого бордового платка хозяйки не выбивалась даже случайная прядь, а ровная узорчатая кайма широкой полосой закрывала выпуклый лоб. Лицо узкое, глаза чуть раскосые, кожа чистая и белая, как кусок льда. Засмотрелся князь Ромодановский на такую красу и невольно отвел взгляд, натолкнувшись на откровенную неприязнь. Чего только люди о нем не болтают! Наверное говорят, что он на завтрак младенцами питается.

Федор Юрьевич отметил, что на лице молодухи

не было привычных белил, и его губы, вопреки воле, растянулись в благодушной улыбке.

— Как звать? — спросил князь хозяйку.

— Лукерьей величать.

— Да уйми ты этого пса, — негромко приказал Ромодановский.

Подскочивший отрок ухватил пса за ошейник и увел в сарай, придавив раскачивающуюся дверь поленом. Проявляя сердитый нрав, кобель еще некоторое время недовольно брехал, просунув морду в проем, а потом угомонился.

Князь Ромодановский придирчивым взглядом осмотрел добротное хозяйство. Забор сколочен из двухсотлетних дубов, двор выложен кирпичом. Есть чем подивить. С тоской подумал о том, что у него двор будет поплоше, а изба на целую крышу пониже. Конюшня не столь велика, а ведь он князь, не чета какому-то окольничему!

Из хором высыпали домочадцы и, сгрудившись перед Федором Юрьевичем, с опаской дожидались его слов.

Три дочери окольничего, такие же скуластые как и отец, стояли немного в стороне, опустив глаза. Младшенькая, глазастая, с босыми ногами, тоже как будто дожидалась княжеского слова.

— Значит, не знаете, где хозяин? — припустив в голос строгости, спросил Ромодановский.

Глянув на пятилетнюю дивчину, почувствовал, что его голос чуток сдал. Чем-то эта белобрысая егоза напоминала его младшенькую...

У крыльца, поскидав с головы малахаи, стояли слуги, тоже напряженно дожидаясь слов князя. Беспечно выглядели только стрельцы, рассматривающие добротные постройки.

И тут Федор Юрьевич почувствовал несказанную обиду. Не по чину окольничий живет! Ему бы скамеечку под ноги государя подставлять, когда он на лошадь взбирается, а не терема мурованные возводить! Одним все, а другим, стало быть, ничего! Вон и жена у него какая красавица, вот с такой бы сладость познать!

— Стрельцы! — посуровел голос князя. — Вот что... Давай их всех в приказ. Пусть у меня побудут, пока окольничий не объявится.

Стрельцы невольно переглянулись: не ослышались ли? Не случалось такого прежде, чтобы слуг государевых в заложники брать.

Переламывая смятение стрельцов, князь Федор Юрьевич заорал пуще прежнего:

— Чего дурнями стоите?! Или государеву слову надумали перечить!

И, заложив руки за спину, князь затопал со двора, грузно переваливаясь.

Молодой стрелец, стоявший рядом с хозяйкой, почесав пятерней пробившийся на щеках золотой пушок, едва ли не попросил:

— Пойдем, матушка... А там, глядишь, и обойдется.

Подхватив младшенькую за руку, хозяйка, подняв красивую голову, направилась следом.

* * *

— Дело у меня к тебе есть большое, Марфа, только тебе и могу доверить, — затаенным голосом произнесла государыня, посмотрев на приближенную боярыню Голицыну.

— Евдокия, о чем угодно проси, все для тебя сделаю. Неужто сомневаешься?

— Не сомневаюсь, подруженька, — отозвалась царица, — иначе бы и не просила. Степан Глебов приехал, повидаться хочет. Весточку мне прислал.

— Вот оно как! — всплеснула руками боярыня.

— Письмо у меня есть... к нему. Уж ты не подведи, Марфушка, в руки передай! — протянула Евдокия Федоровна небольшой лист бумаги, прошитый нитками. — Здесь или мое счастье или... моя погибель. А уж тебе самой решать. На словах вот что скажи: в следующее воскресенье пойду с мамками на богомолье. — Помедлив малость, добавила: Пусть дожидается меня в Богоявленском монастыре.

Боярыня боязливо вытянула листок бумаги, запрятала его в рукав.

— Можешь на меня положиться, матушка. В руки Степану передам! — Покачав головой, добавила горько: — Ох, окаянный, чего же он такую бабу рассудка лишает!

Государыня так и не могла рассудить, к кому были обращены горестные слова: не то к Петру, съехавшему к очередной любаве, не то к дружку ее молодости Степушке Глебову.

Глава 15

ПРЕЛЮБОДЕЯНИЕ

В намеченный день Евдокия Федоровна решила проехаться по святым местам, в которых думала вымолить прощение за возможные провинности (была бы церковь, а грехи всегда отыщутся!).

Первым на ее пути был Богоявленский монастырь, расположенный близ подмосковного села Топорково. До божьей обители государыня шагала в сопровождении многих мамок и стариц. Останавливалась ненадолго, и то лишь для того, чтобы утолить жажду, передохнуть малость, а затем вновь шла далее по раскисшей земле в сторону храма.

Перед самым селом царица остановилась надолго.

У плетня ее поджидали калеки и сироты. Чтобы не обидеть никого из подошедших, государыня жаловала каждому мелкую монетку. В Богоявленском монастыре царица рассчитывала пробыть три дня: в первый день сходить в баньку, а потом помолиться вместе с сестрами.

Степан Глебов прибыл в село заблаговременно, получив коротенькое письмецо. На постой остановился у молодой солдатки, лишившейся мужа в первом турецком походе. Время в ожидании тянулось медленно. Единственным развлечением оказались брага, которую Глебов поглощал без меры, да гостеприимная хозяйка, во всем потакавшая важному гостю.

Лежа на печи, приятно было наблюдать за тем, как хозяйка хлопочет по дому, стряпает пироги. Приятность состояла еще и в том, что со всех сторон баба была кругла — для глаза отрада и для ладони веселье. А потом Степан Глебов щедро оплачивал ей за гостеприимство, будоража истомившуюся плоть до ранних петухов.

Несмотря на сдобные формы, хозяйка окольничему виделась пресным кушаньем, напрочь лишенным каких бы то ни было пряностей. Иное дело —

пышнотелая государыня, от одного взгляда которой оторопь берет. Можно только подозревать, какая сладость его ожидает, когда царица на мягких перинах раскинется.

— Ты бы щей положила, Настюшка, — слез с печи окольничий, — желудок совсем подводит.

— Сейчас, Степан Григорьевич. Тебе пироги с луком или потрохами?

Поскреб Глебов пятерней затылок и принял нелегкое решение:

— Пожалуй, лучше с потрохами.

Глянув в окно, он увидел, как к Богоявленскому монастырю нестройной колонной, вытянувшись на добрые полверсты, топали старицы, а в самом центре плотной толпой шествовали мамки. Государыню отсюда не рассмотреть, мамки, натянув пестрые платки, прятали ее фигуру даже от случайного взгляда.

Со всех сторон колонну охраняли стрельцы с бердышами и немилосердно теснили зевак. Выход царевны больше напоминал скорбную процессию. Величаво господствовала тишина, только временами где-то в самом конце хода приглушенно тявкали собаки, но тут же умолкали, будто устыдившись собственной дерзости.

Пустые кареты ехали позади. Впереди три десятка конников прокладывали через сбежавшуюся толпу дорогу.

В иные времена ход обставлялся с большим торжеством. Впереди скакали скоморохи, привлекая внимание, играли свирели, стучали барабаны. Только одних возков набиралось до сотни штук. С каждым пройденным километром ход становился все более многолюдным. В него, как ручьи в полноводную реку, вливались жители с окрестных деревень.

В сей раз все выглядело по-другому.

Царевна совершала покаянный ход по монастырям, в каждом из которых рассчитывала просить божьей милости. Одна из мамок, пряча государыню от дурного взгляда, несла в руках расправленный платок. Запнувшись, баба едва не упала, руки колыхнулись, и через образовавшуюся брешь Степан Глебов сумел рассмотреть покаянно склонившуюся государыню. Уже в следующую секунду поотставшая мамка закрыла ее цветастым платком, но Степан, продолжая надеяться на случайность, буравил взглядом склоненные фигуры.

Ворота Богоявленского монастыря распахнулись. С огромным крестом на шее процессию вышла встречать игуменья с монашками. Отбила государыне поклоны и отступила на монастырский двор.

* * * *

— Так ты куда собрался-то на ночь глядя? — тоскливо поинтересовалась хозяйка, увидев, как Степан принялся застегивать кафтан.

— У меня здесь дела, не жди.

Где-то в глубине зрачков вспыхнувший огонек сначала сжался до размеров крохотной точки, а потом и вовсе затух. Закрывшись, хлопнула дверь, похоронив еще одну бабью надежду.

Ночь была темной. В немногих избах полыхали зажженные лучины. А в Богоявленском соборе в келье для гостей робко трепетал свет. Задрав голову, Степан Глебов смотрел на крайнее окошко в третьей клети. Здесь помещалась комната государыни. В глубине кельи предстал темный силуэт, размазанный слюдяным оконцем. Постоял малость, да и сгинул в глубине комнаты. Наверняка это Евдокия Федоровна. Томится в одиночестве, сердечная. Внутри у Степана Глебова сладенько заныло и разлилось зовущей теплотой в самом паху. Это кто же такую бабу без присмотра оставляет?

Ай да государь! Спасибочки за подарок!

За монастырской стеной беззлобно переругивались стрельцы, побрякивая железом. Громыхнули входные ворота, затворяясь накрепко.

— Давно стоишь? — раздался вблизи негромкий голос.

Повернувшись, Степан выругался:

— Тьфу, дьявол, напугал!

Перед ним предстал подьячий Назар Маршавин, работавший в приказе Ромодановского и выполнявший особо ответственные поручения. Ничто не могло укрыться от его взгляда. Неродовитый, как раз из тех, о ком говорят «без рода и племени», он внушал страх даже именитым боярам. И те, заметив издалека его долговязую сгорбившуюся фигуру, невольно понижали голос. Маршавин рьяно выполнял самые деликатные дела.

— А ты не бойся. Тебе силушку нужно для настоящего дела беречь. Хе-хе-хе... А то что тогда мы государю скажем?

— Ворота закрыты, как же мне войти?

— Не переживай. Ворота откроют, сигнал дадут. Вратник — мой человек. Я вот как думаю. Ты нам сигнал дашь, когда государыню на кровать завалишь.

— Как же я дам? — хмуро пробасил Степан.

— Постучишь, что ли, вот мы всем гуртом и подойдем. Тогда ей не отвертеться.

— Может, не стоит? — засомневался Степан. — Чего же ей такой позор?

— А по-другому никак нельзя. Патриарх не поверит, — убежденно заверил Маршавин. — Ему причина для развода нужна, а лучше, чем прелюбодеяние не придумаешь. А потом, уж очень хочется посмотреть, какова государыня в одном исподнем. Хе-хе... Ты глазками-то меня не сверли, — сурово заметил Маршавин. — Общее дело помышляем. Мне государем поручено надсматривать. Перед ним и ответ держать буду. Эх, завидую я тебе, Степка, такую бабу мять будешь!

— Ты язык-то попридержи... Знай, о чем говоришь.

— Я-то ничего... А правду народ молвит, что у тебя с царевной вышло... Ладно, ладно, и спросить нельзя. Ты вот что, не теряйся, самое главное. Заходи в клеть по лестнице. Там никого нет. Я об этом позаботился. И там в дверь стучи. А нам уже пора, вон знак подают, — глянул он в темень.

Вспыхнул факел, разметая вокруг искры, после чего осторожно заходил из стороны в сторону, описывая дугу.

— Смело ступай, ворота открыты. Только не медли. Скоро вратник подойдет. А уж он спуску не даст. Так что не робей, мы поблизости будем.

Надвинув шапку на самые брови, Степан Глебов направился к воротам. Ему и прежде приходилось бывать в Богоявленском монастыре. Первый раз это произошло лет десять назад, когда он с Петром собирал солдат для Потешных полков. Остановившись на два дня в кельях для гостей, они переколотили всю братию, и игумен — суровый кряжистый старец, невзирая на царственный чин гостя, попросил его уйти с монастырского двора.

Второй раз Степан пришел сюда через полгода с челобитной. Повинившись за прежний грех, Петр Алексеевич прислал монахам сто пудов муки, а кроме того, отдал в пользование прилегающие пахотные земли вместе с селом, находящимся по соседству.

Сейчас это был третий визит в монастырь. Вот только он никак не думал о том, что придется пробираться в монастырь лихим вором.

Ворота оказались чуть приоткрытыми. Во дворе — никого. Мрак разъедал деревья, стоявшие вдоль монастырской ограды; немного поодаль находились три скамьи, притулившиеся к стене, а вход в келью представлялся и вовсе зловещим провалом.

Где-то на краю монастырского двора беззлобно переругивались стрельцы. За оградой неспешно бродил караул, бряцая оружием. Открыв дверь, Степан прошел внутрь монастырских помещений. Потолок тут был сводчатым и низким, возникало впечатление, что он буквально ложится на плечи, и Степан невольно сгорбился, как если бы и в самом деле почувствовал тяжесть. Осмотревшись, Глебов направился к неширокой лестнице, уводившей в келью государыни. Где-то по соседству должны располагаться комнаты мамок и боярынь. В любой момент одна из многочисленных дверей может распахнуться. Нетрудно предположить, чем тогда закончится учиненный переполох.

Поднявшись на верхнюю клеть, Глебов осмотрелся. Монастырь словно вымер, не раздавалось ни звука. Степану он показался каким-то неживым и холодным, каким может быть разве что склеп. Вокруг только толстый камень, от которого так и веет подземной сыростью.

Последняя дверь была слегка приоткрыта, и через узкую щель на щербатый каменный пол падала узкая мерцающая полоска света. Она ложилась на противоположную стену и свечой убегала к самому потолку. Из-за двери раздался певучий звонкий голос. Затаив дыхание, Степан вслушивался в знакомые интонации. С такой душой могла петь только царевна Евдокия Федоровна.

Слегка приоткрыв дверь, Степан увидел, как государыня, сидя боком к двери, бойко вытягивала из прялки дрожащую шерстяную нить. На коленях — спицы с кружевами. Без белил и румян ее лицо имело естественный цвет, вот только ярко-красные губы резко контрастировали с этой мраморной белизной.

Степан Глебов с волнением наблюдал за дрожащими ресницами Евдокии. Заметил, как в самом уголке глаз зародилась слеза и сбежала на середину щеки, оставив после себя влажный сверкающий след.

Душу окольничего раздирали противоречивые чувства. Ему хотелось броситься государыне в ноги, поклясться в верности и ладонью утереть набежавшую слезу. И в то же самое время он был готов бежать от ее палат очертя голову. За подобную дерзость стрельцы безо всякого разбору могут порешить на месте. И, только вспомнив Петра, хмурого, как похмельное утро, Глебов решительно распахнул дверь.

Только сейчас Степан заметил, что на Евдокии было лишь исподнее: подол, задравшись, открывал упругие ноги. Никогда прежде его не волновала женская нагота так остро, как в эту самую минуту. Легкий сквозняк остудил тело царевны, и он заметил, как кожа на икрах покрылась крохотными мурашками.

— Марфа, это ты?

Окольничий молчал, не в силах проронить даже слово.

Повернувшись, Евдокия Федоровна увидела Степана, стоящего в дверях, и крик, готовый уже вырваться наружу, застыл на приоткрытых губах.

Никогда еще государыня не была столь красивой.

— Ты? — почти беззвучно шевельнулись губы.

С шеи на исподнее государыни свешивалась золотая цепочка с крохотным крестиком. Грудь взволнованно колыхнулась, и распятие, ожив, спряталось в самой середке, где-то в глубокой складке.

— Я, государыня, — ответил смиренно Степан, не узнавая собственного голоса.

Страх куда-то улетучился. Весь мир сузился до маленькой низенькой кельи. Точнее, это была целая вселенная, где государыня была полновластной хозяйкой.

Степан сделал шаг. Еще один, такой же нерешительный. Сейчас между ними должно случиться то, от чего они отказались в молодости. Но даже судьба, которая возвела между ними непреодолимую преграду, не может помешать их сближению.

Достаточно только протянуть руку, и можно почувствовать обжигающее прикосновение любимой женщины.

— Иди отсюда, Степан, грех это. А то закричу.

— Кричи, государыня, — хмелея от близости, проговорил Степан. — Уж лучше пусть меня здесь порешат.

Ладони государыни ослабли, и на дощатый пол, позвякивая, упали спицы. Плетеные кружева слегка подрагивали в пальцах государыни, закрывая ее круглые коленки.

Жар был сильный, он буквально сжигал Степана изнутри, мешал говорить.

— Какая у тебя кожа-то беленькая. — Он присел и осторожно коснулся обнаженной лодыжки государыни. Раньше-то, бывало, мял ее сколько хотел. А сейчас только от одного прикосновения едва разум не помутился. — Как снег, — ладонь скользнула выше, приподняла краешек исподнего белья, — и такая же мягкая, как пух.

Не останавливаясь, пальцы скользнули выше. Добрались до коленей. Задержались ненадолго, будто бы для того, чтобы отдохнуть, а потом устремились далее к бедру, слегка раздвигая ноги. Царица вздохнула глубоко, подавшись вперед.

— Не надо, Степушка, не надо... Ведь узнать же могут. Грех-то какой!

— Не бойся, государыня, не узнают, — легкомысленно пообещал Степан, приподнимая исподнее.

Всего-то легкая заминка, после которой Евдокия, окончательно сдаваясь, подняла руки. Легкий полупрозрачный шелк скользнул по гладкому телу, обнажив красу неописуемую. От прежней плоскогрудой девчонки не осталось и следа, перед Степаном была дородная женщина, понимающая и ценящая мужскую ласку. Не удержавшись, Глебов притянул государыню к себе и услышал протестующий шепот:

— Не на лавке же, охальник. Я сама до постели дойду. Да и щеколду не забудь задвинуть, не ровен час, войдет кто!

Сбросив с себя оцепенение, Степан на деревянных ногах протопал к двери, обернувшись, увидел, как Евдокия Федоровна, уже совершенно не стесняясь своей наготы, направилась к постели. Откинула одеяло и расположилась у стеночки, оставляя место и для Глебова. «Точно так же она поджидает и государя», — шевельнулась внутри Степана гордыня, перемешанная с ревностью, заглушив прочие чувства.

Сняв кафтан, Степан бросил его рядом с исподним государыни. Поймал ее слегка насмешливый взгляд. Развязал порты, положил их аккуратно и, задув свечу, затопал босыми ногами к царице.

* * *

В избу к солдатке Степан Глебов вернулся только под самое утро. Разобиженная, она открыла щеколду и, едва взглянув на полюбовника, удалилась в избу.

Оно и к лучшему. В наступившее утро Степану Глебову было не до разговоров. Сладость познается только в настоящей любви. Прожив тридцать с лишним годков, Степан Глебов теперь понимал, что прежние его отношения с бабами были всего лишь баловством, а то, что приключилось нынешней ночью — настоящее чувство. Оказывается, нужно попробовать полсотни девок, чтобы понять истину.

Несмотря на бессонную ночь, уснуть Степан не мог. Долго ворочался, прислушиваясь к вздохам хозяйки.

На следующий день ближе к полудню заявился Назар Маршавин. Уверенно протопал через избу прямиком к разнежившемуся Глебову. Отыскал в углу кувшин с брагой и, крякнув от удовольствия, налил полную братину.

Толкнув под локоть задремавшего было Глебова, Маршавин мелко хихикнул:

— Ну и каково оно с царевной-то, а? Наверное, как-то по-особенному?

В какой-то момент Степан вдруг ощутил невероятную потребность поделиться пережитым. Поведать об испытанном, рассказать, какая упругая и нежная кожа у царицы, о том, что у самого паха имеется родимое пятно светло-коричневого цвета величиной с фасоль. Не удержавшись, он прикоснулся к нему губами, вызвав невольный восторг государыни. И даже когда уходил от нее утром, никак не мог поверить в состоявшееся счастье. Откинув одеяло, Евдокия тихо посапывала, обнажив бок. Исподнее аккуратно уложено на табурете, поверх которого, провалившись в ткань, торчал золотой крест, снятый с шеи царицы.

Вспомнив протяжный стон царевны, когда они в размеренном и быстром темпе вбежали на самый верх блаженства, Степан счастливо улыбнулся. Было!

Глебов приподнялся, присел на свободный стул, а потом усмехнулся в ехидную физиономию Маршавина:

— А с чего ты взял, что было?

С минуту подьячий непонимающе хлопал белесыми ресницами, пытаясь отыскать в лице Глебова лукавинку. Однако его встречали строгие серьезные глаза. Окольничий шутить не собирался.

Отодвинув от себя братину с брагой, Маршавин нахмурился:

— Так ты же только утром оттуда вышел? Али не так?

Брага, сердито плеснувшись через край братины, расползлась по столу, испачкав кафтан Глебова. Брезгливо отряхнув промокший рукав, Степан спросил:

— А ты видел, как я выходил?

— Не довелось, — честно признался подьячий. — Только ты ведь постучать должен был, когда на государыню... того... залезешь.

— А я постучал?

— Не слыхал.

— Вот, стало быть, и не залезал! — веско изрек Степан. — Царица наша, матушка, святая!

— Куда же ты тогда запропастился? — недоверчиво сверлил подьячий Глебова поросячьими глазками.

— Постоял немного в трапезной, а потом в другую дверь вышел, — отвечал Степан и крепко пригубил братину, стараясь спрятать накатившее ощущение счастья.

— Где же ты тогда всю ночь был? — продолжал допытываться Маршавин.

Глебов оторвался от братины, утер рукавом усы:

— Тут в селе вдовушка одна дородная живет. Телеса — во! — выставил он впереди себя ладони. — Шажок делает, а у нее все колыхается, как свиной студень. Такую подержать — одна приятность. Вот я ее и держал всю ночь.

Губы разошлись в довольной улыбке, будто бы медку отведал.

— Где же ты тогда в следующую ночку пропадал? Заходил я к тебе, не застал!

— Так и пробыл у нее. Два дня порты не надевал.

В следующую ночь Степан Глебов тихим вором опять пробрался в келью государыни, перехитрив караулившим у ворот монастыря стрельцов. Государыня, встав на колени, молилась в углу перед иконой, замаливая сладкий грех. В тот момент, с распущенными волосами, неровной волной спадавшими на плечи, она показалась ему особенно красивой. Через полупрозрачную ткань Степан видел ее слегка располневшее тело. В глазах — испуг. Красивые, слегка пухлые губы разлепились. Вот сейчас отчаянный крик разорвет монастырскую тишь. Но вместо ожидаемого крика прозвучал шепоток:

— Уйди, окаянный!

Полные маленькие руки сложились у самой груди, закрывая оголенный участок кожи. За коротенькими пальцами видны звенья золотой цепи.

По распахнутым глазам Степан угадал: Евдокия хотела, чтобы он остался. Заперев дверь на задвижку, Глебов подошел к царице и, не ощущая сопротивления, поднял ее на руки. Длинные каштановые волосы, растрепавшись, почти касались пола.

Легкое сопротивление и короткая, как выдох, мольба:

— Не надо, Степан...

— Все будет хорошо, государыня, ты только

мне доверься, — осторожно положил Глебов царицу на постель.

Степан принялся снимать свой кафтан, когда увидел, как колени государыни сомкнулись. Глянешь на такую преграду и покажется, что не найдется силы, чтобы отомкнуть эти врата. Но в действительности ему удалось сделать это всего лишь ласковым прикосновением.

Сейчас Степан, вспомнив эти сладостные мгновения, не смог сдержать себя. Широкая улыбка разодрала до ушей щеки, выдавая накатившееся счастье.

— Ты чего лыбишься-то? — недобро покосился на него подьячий.

— Просто подумал, что ты государю отпишешь, ежели наша затея не удалась.

— Что-нибудь придумаем. Только мне вот что странно. Государыня собиралась в Вознесенском монастыре трое суток пробыть. Уже пятый день пошел, а она не выезжает. — Понизив голос, Маршавин продолжал: — Два дня к заутрене не выходит, говорят, все перед иконой стоит, как будто бы грех какой замаливает. Так ты не знаешь, какой?

— Не ведаю.

Подошла хозяйка. Неодобрительно зыркнув на гостя, пожаловалась:

— Весь стол залили.

Ожиданий бабы Степан Глебов не оправдал. Отчего-то было совестно, оставаться более не хотелось.

— Поедем-ка в Москву, Назар, в кабак, угощу я тебя, — повеселел Глебов.

Маршавин отказываться не стал и, натянув на голову шапку, вышел из избы.

Хозяин трактира был круглолицый приземистый немец с невероятно располагающей наружностью. С его полноватого лица не сходила добродушная улыбка. В хозяйстве ему помогали две дочери, одетые в иноземное платье. Когда они подходили к столику, чтобы протереть пролитое вино, Маршавин, не стыдясь, заглядывал в разрез платья. И судя по тому, что отображалось на его лице, можно было считать, что увиденное доставляло ему немалое удовольствие. Заказали по стакану вина. Выпили. Пожелали еще.

В сей раз к ним подошла старшая из дочерей, весьма сносно говорившая по-русски. Одарив подьячего улыбкой, она усердно принялась натирать стол мягкой ветошью.

— Хороша, красотуля! — слегка хлопнул он девушку пониже спины.

— Майн гот! — слегка отстранилась девица.

— Ты нам еще вина принеси. Больно оно у вас хорошее, — распорядился Маршавин, бросив в пустой стакан гривенник. — Ты не скучаешь, хозяюшка?

— Скучать не дают.

— А то бы я тебя утешил. А хороша девка! — восторженно протянул Назар Маршавин, проводив ее долгим взглядом. — Вот такую бы помять! — Неожиданно взгляд его сделался трезвым, будто бы и не было трех ковшей проглоченной браги. — А только государыня посдобнее будет.

— Может, и будет. Но мне оного не ведомо, — попытался отшутиться Степан Глебов.

— Кхм... Может быть. Ладно, пойду я, что-то вино в горло не идет. А у меня тут еще одно дельце имеется. — Повернувшись к хозяину, он громко проговорил: — Ганс, дочки у тебя красивые.

Добродушный Ганс расплылся в довольной улыбке:

— Да, да!

— Ты вот что, Ганс, — серьезно заметил подьячий, направляясь к двери. — Подавал бы в следующий раз их вместе с вином... на закуску!

Старый Ганс непонимающе хлопал глазами, пытаясь разобраться в замысловатом русском юморе. Но на всякий случай из уважения к важным гостям закивал головой:

— Да, да!

Хлопнув дверью, Маршавин ушел, и на улице еще некоторое время раздавался его удалой смех.

Отодвинув стакан с вином, окольничий взглянул в окно. Подьячий, смешно переваливаясь, брел по разбитой дождем дороге, аккуратно обходя многочисленные лужи. Вот он остановился, осмотрелся по сторонам и свернул в сторону Преображенского приказа.

Внутри у Глебова неприятно заныло. Нахлобучив шапку, Степан вышел следом.

— А вино? — крикнула вдогонку Гретхен.

— Как-нибудь в следующий раз, — пообещал Степан и затопал к дому.

«Интересно, где сейчас государыня? — от приятных дум сердце у окольничего малость оттаяло. — Эх, лебедушка!»

* * *

Уставив тяжелый взор в стол, Федор Ромодановский терпеливо выслушивал Маршавина. Взгляд у него был тяжелым — таким только гвозди заколачивать. Может, потому смотрел он на собеседника нечасто, понимая, какое для него это может быть испытание.

— Так ты уверен, что он был у государыни? — спросил сурово Ромодановский, посмотрев на подьячего.

Ни подняться, ни повернуться. Будто бы иглой пришили, как букашку никчемную. Маршавин попытался выглядеть независимо, но рот скривило, будто от лихоманки какой.

— Уверен, боярин. Он только поутру вышел, сам видел... А потом еще на следующий день приходил. Его стрельцы видели, когда он через монастырскую ограду перелезал. Хотели скрутить, как вора, так я не разрешил.

— А государыня чего?

— А Евдокия Федоровна дверцу оставила незапертой... Видно, ждала его на второй день. Вот он и заявился. Так чего же государю-то отписать?

— Отпиши как есть, — сурово заметил князь Ромодановский. — Чего же нам лукавить? А ну давай, бери перо, — приказал он.

И когда подьячий сел за стол, разгладив усы, заговорил:

— «Господину бомбардиру Петру Алексеевичу от генералиссимуса Федора Ромодановского. За государством нашим смотрю в оба ока. Выявляю смуту по слову и делу государеву. Неделю назад кнутами был запорот иеромонах, сказавший о том, что государыня бледна и выглядит плохо...» Написал? — сурово спросил князь.

Гусиное перо бойко бегало по бумаге.

— Написал, батюшка, — вскинул голову подьячий.

— «Вчера на дыбе был допрошен купец Масленщиков, говоривший на базаре о том, что нынешний царь Петр будто бы и не царь нам вовсе, а прижит государыней от заезжего аглицкого графа».

От усердия Маршавин надувал щеки, высовывал язык, но буквы выглядели неровными, разбегались по сторонам, как если бы отплясывали гопака.

— Угу! — прогудел подьячий.

— Ты бы водки-то выпил, — расчувствовался Федор Юрьевич, — а то совсем трясучка одолела.

Отложив перо, Маршавин налил из бутыли полный стакан зелья и выпил его в три больших глотка.

Помутневший взгляд сфокусировался, выражение лица приобрело должную значимость.

— Хороша, мерзавка! Так что там далее, князь?

Обмакнув перо в чернильницу, подьячий в ожидании замер. Ромодановский не торопился. Сунув руку за кафтан, почесал живот, икнул сладенько и продолжал все тем же простуженным голосом:

— «Третьего дня запороли бабу... Будто бы она видела, как у государыни во время моленья торчали из затылка рога. Дел хватает... Служим государству и отечеству нашему как можем».

Маршавин писал резво. Буквы теперь получались не в пример ровнее. Одна беда, что с кончика пера срывались крупные капли, и он то и дело слизывал их с бумаги.

— А теперь о главном... «Бомбардир Михайлов, ты наказал нашему величеству присматривать за государыней, что мы и делаем. На прошлой неделе матушка отправилась по святым местам, взяв с собой две дюжины мамок. Сопровождал Евдокию Федоровну полк стрельцов. Первую остановку государыня сделала в Богоявленском монастыре, где пробыла пять дней. На второй день пребывания государыни в монастыре к ней аспидом-искусителем в келью проник окольничий Степка Глебов, большой охотник до венериных утех. Ушел от государыни засветло, когда именно, сказать не можем. В следующую ноченьку Степка Глебов потопал проторенной дорожкой. Вором мерзким скребся к государыне в келью...» Записал?

— Пишу, Федор Юрьевич, — охотно отозвался подьячий.

— «...Бомбардир Степан Глебов глаголит, что греха между ним и государей не случалось. Будто бы она чиста, как Божья матерь. А только рожи при этом гнусные строит и улыбается шире ушей». Было так? — строго спросил князь.

— Все в точности, батюшка, так и было, — охотно закивал Маршавин. — Я его брагой-то потчеваю да все про государыню спрашиваю, хороша ли, мол, она? Каково с ней Петру Алексеевичу? А он рожу в братину уставит и только смешки строит.

— Хорошо. Напиши: «Кесарь Федор Юрьевич Ромодановский...» Дай подпишу.

Маршавин пододвинул грамоту. Всмотревшись в текст, Федор Юрьевич размашисто расписался.

— Ты вот что, сургуча-то не жалей. Залепи столько, сколько потребуется. Дорога-то не близкая. Где у нас сейчас государь?

— Кажись, к Саксонии направляется, — неуверенно отозвался Маршавин.

— Оно и к лучшему.

Часть II

В ПОИСКАХ СОЮЗНИКОВ

Глава 16

ЗА МОРЕМ ЖИТЬЕ НЕ ХУДО

Ноттингемский дворец в поселке Кенсингтон Вильгельм III купил сразу после того, как был призван на английский престол в ходе государственного переворота. Прежде в нем проживала принцесса Уэльская с двумя сыновьями. Нуждаясь в деньгах, принцесса уступила дворец Вильгельму за 18 тысяч фунтов.

Король Вильгельм въехал туда после недолгих работ, в результате которых дворец получил должный облик, необходимый для королевского статуса.

Проживая во дворце почти десять лет, Вильгельм оценил его явные преимущества и никогда не жалел о состоявшейся сделке. Ноттингем он собирался использовать как загородную резиденцию, но в действительности король проводил там значительно больше времени, чем в самом Лондоне.

Одним из любимейших занятий короля оставалась прогулка по саду, столь же ухоженному и очаровательному, как в его родных Нидерландах. Ежедневный моцион Вильгельм часто совмещал с решением государственных вопросов. В этот раз ему хотелось поделиться своими соображениями о приезде русского царя в Европу.

Визит Петра наделал немало шума в королевских дворах. Прежде столь внушительного и во многом забавного посольства здесь не наблюдали. Передвигаясь от города к городу, пересекая одну границу за другой, царь как будто бы задался целью потешить европейскую знать.

Обладая критическим умом, Вильгельм III никогда не брал на веру слухи и сплетни, предпочитая во всем убеждаться лично. Потому король не мог упустить случая пообщаться с русским царем. Первая такая встреча состоялась в Утрехте, вторая — в Гааге. Не стесненный протоколом, царь сумел тогда раскрыться в непринужденной и живой беседе. Только пообщавшись с Петром накоротке, Вильгельм осознал, что за простоватой внешностью прятался недюжинный ум, с которым со временем предстоит считаться всей Европе. Тут важно не опоздать и попытаться склонить царя Петра на свою сторону сейчас, когда распадаются старые союзы и складываются новые. В воздухе так и потягивает порохом, а потому весьма важно отыскать в лице русского государя единомышленника, тем более что война с Францией, все более набирающей мощь, уже предрешена.

В этот раз в качестве собеседника во время прогулки король Вильгельм выбрал вице-адмирала Митчелла. Короля и адмирала связывала давняя дружба. Митчелл был одним из немногих людей, на которого Вильгельм мог всецело положиться. А кроме того, обладал еще одним немаловажным качеством — способен был расположить к себе едва ли не всякого. Порой казалось, что даже для врагов он приберегал свою широкую располагающую улыбку.

Остановившись у подстриженного куста барбариса, король сорвал красный цветок и спросил:

— Вы можете сказать, какие отношения у русского царя с Людовиком XIV?

— Насколько мне известно, не самые благоприятные. А все потому, что царь делал все возможное, чтобы корону Польши заполучил саксонский курфюрст. Принц де Конти на него в большой обиде.

Вильгельм отшвырнул листочек и терпеливо проследил за тем, как тот, подхваченный ветром, скрылся на тропе, посыпанный мелким гравием.

— Это хорошо. Не исключено, что в будущем нам понадобятся русские полки, а сейчас для нас важно добиться расположения русского царя. Постарайтесь ему понравиться, произвести благоприятное впечатление. Я знаю, что вы это умеете.

— Сделаю все, что в моих силах, ваше величество, — сдержанно пообещал вице-адмирал.

Вице-адмирал был большого роста, пышущий здоровьем, с гладко бритым лицом. Букли длинного парика и слегка отвислые щеки делали его похожим на добродушного спаниеля.

Король Вильгельм, напротив, был человеком хилым, худощавым, с высоким лбом и большим носом, загнутым наподобие орлиного клюва. Лицо отличалось бледно-болезненным цветом. Взгляд у него был несколько задумчивый, можно сказать, даже угрюмый, узкие губы всегда плотно сжаты. Высшая степень веселья короля — учтивая холодная улыбка.

Страдая одышкой, Вильгельм никогда не спешил. Даже прогуливаясь по саду, он часто и надолго останавливался, чтобы перевести дух, после чего двигался дальше так же медленно. Но никто, даже самые близкие люди, не подозревали, что за этой флегматичной внешностью скрывается весьма впечатлительная натура, обуреваемая нешуточными страстями. Он едва ли не с рождения научился не доверять окружавшему его миру, всегда казавшемуся ему очень враждебным. Король по-настоящему ценил в жизни только большую политику, которой он был предан беззаветно.

Интуиция подсказывала Вильгельму, что союз с русским царем может принести немалые блага. И присутствие Петра в Европе следовало максимально использовать для блага Англии. Не за горами тот день, когда английские и русские войска рука об руку войдут на территорию Франции, чтобы потеснить «короля-солнце».

Вильгельма мучил сильный хронический кашель. Требовалась немалая воля, чтобы заглушить его приступы. Именно сейчас Вильгельм почувствовал, как к горлу подступает очередная волна кашля, справиться с которой уже почти не было сил. Достав шелковый платок, король приложил его к бледным губам.

Вице-адмирал покорно стоял в стороне, стараясь не смотреть на страдания короля. Повернувшись к воротам, он с интересом рассматривал фигурки на решетках, позолоченные вензеля и королевский герб. Когда приступ кашля был преодолен, Вильгельм аккуратно сложил платок вчетверо и уложил его в карман. Вещь необходимая, пригодится в следующий раз.

Король был слаб телом, но уж никак не духом. Теперь его лицо было, как и прежде, непроницаемым.

— Русский царь любит море. Это хорошо... Устройте ему нечто такое, что расположит его к нам. Например смотр кораблей. Будьте с ним веселы, остроумны. Впрочем, таковы вы и есть в действительности. И помните, что от вашего настроения, возможно, зависит будущее Англии.

— Я не подведу вас, ваше величество, — заверил адмирал со свойственным ему пылом. — И сделаю все, что от меня зависит. Не сомневайтесь, царь Петр останется доволен нашим приемом.

Губы короля разлепились в учтивой улыбке. О подобной милости мечтают многие.

— Знаете что, адмирал? Я вас приглашаю сегодня на ужин. Кроме вас, будет еще и маркиз Кермартен. Надеюсь, что мы славно проведем время.

Только в кругу самых близких людей король отбрасывал свою напускную чопорность. Вице-адмирал Митчелл был несказанно счастлив, что попадал в это число.

— Я непременно буду, ваше величество, — поспешно отозвался он, склонив крупную голову.

* * *

Английский курьер отыскал царя Петра на верфи, где происходил ремонт старого судна, потрепанного во время шторма. Корабль, ощетинившийся во все стороны поломанными мачтами и досками, усеянный плотниками и мастеровыми, очень напоминал гигантского жука, облепленного надоедливыми муравьями. Слегка раскачиваясь, он как будто хотел сбросить с себя докучавшую ношу, но, проявляя завидное упорство, люди продолжали карабкаться по его поверхности.

Часть плотников ремонтировала поломанный правый борт, залатывая огромную пробоину новыми досками. Еще пара дюжин мастеровых устанавливали мачты вместо тех, что были срублены во время шторма. Четверо рабочих крепили на плотиках вентиляционные порты. На палубе полубака плотники тесали доски и складывали их подле борта. Несколько человек в закрепленных люльках у самой поверхности воды скребками счищали моллюсков и рачков. Другие конопатили трещины и заделывали их смолой. Пахло краской и тесаным деревом.

Петр Алексеевич, с ног до головы усеянный мелкой стружкой, вооружившись небольшим топориком, мастерил украшение кормовой надстройки — двух львов с загнутыми кверху хвостами, которые передними лапами держали королевскую корону. От усердия царь даже высунул язык.

— Молодец, Питер, — подошел к самодержцу высокий плотник, попыхивая коротенькой трубкой. — Только не позабудь русалок на перекладинах вырезать. А то иначе удачи не будет. В нашем деле они — главное! Хе-хе-хе!

— Хорошо, герр мастер, — охотно отозвался царь, не отрываясь от работы.

Курьер внимательно всмотрелся в русского царя. В нем не было ничего величественного. В обыкновенной одежде мастерового, с черными ладонями от въевшейся смолы и в перепачканном парике он совершенно не походил на властителя обширной империи, что простиралась далеко за Урал. Губы курьера невольно скривились. Если так в России выглядят цари, то что тогда говорить о подданных?

Однако это не помешало ему проявить должную учтивость. Склонившись перед Петром, он протянул ему грамоту и произнес на голландском языке:

— Ваше величество, английский король Вильгельм III просит вас посетить Лондон.

Положив топор, божий помазанник взял протянутую грамоту.

— И когда? — спросил он тоже по-голландски, небрежно отрывая сургучовую печать. Помешкав малость, швырнул ее в ворох стружек, где она и затерялась.

— Это когда будет угодно вашему величеству.

— Питер! — окрикнул один из мастеровых царя. — Помоги мачту донести.

Сунув в карман непрочитанную эпистолу, он поторопился на зов. И в течение получаса английский курьер наблюдал за тем, как русский самодержец с дюжиной рабочих, надрывая от тяжести пуп, волочил гигантскую мачту к середине корабля.

Презабавное зрелище! Будет о чем рассказать королю, когда тот спросит, что царь делал на верфи в Нидерландах.

«Интересно, а кто-нибудь из них знает, что тут работает русский царь? — с улыбкой подумал курьер. И, заметив, как плотники по-дружески хлопают русского царя по плечу, запросто называя его Питером, сделал вывод: — По всей видимости, им это даже и в голову не приходит».

В перепачканной одежде, со стружкой, вкравшейся в волосы, Петр выглядел комично, но курьер понимал, что сейчас не самое подходящее время для улыбок. Отерев руки о тряпку, Петр спросил:

— Стало быть, в удобное время?

— Именно так, ваше величество.

— Тогда вот что. Передай Вильгельму... моему другу. Буду через пару недель. Корабль на воду спускаем, уж не хотелось бы пропустить такое событие. А потом, мне ведь здесь жалованье платят. Ежели договор нарушу, так части денег лишусь. Чего же мне деньгами-то разбрасываться? — вполне искренне посетовал царь.

В этот раз погасить улыбку не удалось.

— Разумеется, ваше величество!

Курьер внимательно проследил за тем, как русский царь напялил на голову парик, небрежно, кое-как, словно какую-то шапку. Из-под накрахмаленных буклей выбивались пряди каштановых волос.

— Ежели вы приглашаете, тогда и доставить до места должны. Чего же мне, корабль нанимать? Так и без штанов можно остаться! Уж больно они у вас здесь недешево стоят.

— О! Ваше величество, об этом вам не стоит беспокоиться. В Англию мы доставим вас на королевской яхте.

— Вот и договорились, — вновь взялся за топор Петр. Он внимательно посмотрел на выполненный рисунок. У одного из львов хвост получился большим. Следовало его укоротить. Так что работы хватало!

— А вы знаете, где я остановился?

Опять учтивая улыбка:

— Мы знаем о вас очень многое, ваше величество. И в том числе где вы проживаете.

— Кто за мной придет?

— В послании все написано, ваше величество... Вице-адмирал Митчелл и маркиз Кермартен.

— Ладно, сговорено! Почитаю грамоту на досуге. — И показав кивком на высокого человека с короткой трубкой в зубах, добавил: — А сейчас мне работать нужно, а то что-то мастер на меня косо посматривает. Глядишь, так еще и жалованье не заплатит!

— О да, конечно! — живо отозвался курьер, наклонившись еще ниже, чтобы спрятать улыбку, раздирающую губы.

Еще один анекдот про царя Петра был готов.

* * *

Ровно через две недели в Амстердам прибыла королевская яхта в сопровождении трех линейных кораблей. Подобного изящества город не наблюдал давно. На мачте, приковывая взгляды, трепыхал английский стяг. Горожане, собравшись на пирсе, наблюдали за тем, как к причалу пристает королевская яхта. Дюжина матросов, сгрудившись у кабестана, разворачивала стальной трос, а два ялика — в корме и в носу судна, удерживая дополнительные канаты, помогали закончить маневр.

Матросы работали согласованно и весело под отрывистые и громкие свистки боцмана. Сам вице-адмирал Митчелл стоял на капитанском мостике и флегматично посматривал за работой. Со стороны могло показаться, что его мало интересует происходящее, но в действительности от его внимательного взгляда не укрывалось ни одно движение матросов.

Наступал прилив. Время для швартовки — не самое благоприятное. Но слаженные действия команды позволяли надеяться, что скоро яхта пристанет к причалу.

Вице-адмирал сошел с капитанского мостика и подозвал к себе первого помощника.

— Вы знаете, где расположился русский царь?

— Да, сэр. Недалеко от верфи.

— Вот и прекрасно. Возьмете с собой нескольких офицеров, мы поедем к царю Петру.

— Да, сэр, — охотно отозвался помощник.

— Компанию нам составит маркиз Кермартен. И не забудьте захватить с собой хорошего вина. Я слышал, что царь Петр большой его поклонник.

— Учту, сэр.

* * *

В последние две недели Петр Алексеевич проживал у служанки харчевни, — толстой улыбчивой барышни по имени Катрин. Возвращаясь с верфи, царь неизменно проходил мимо харчевни, где она служила, по обыкновению выпивал две бутылки вина, после чего, заперевшись с ней в подсобное помещение, рассказывал барышне без затей о том, как успел соскучиться по ее ласкам за время трудового дня. После подобного диалога девица выходила к посетителям малость помятая, но всегда чрезвычайно удовлетворенная.

В этот раз Катрин была необыкновенно мила. Разнежившись, Петр Алексеевич спал на мягкой кровати, пуская обильные пузыри на накрахмаленную наволочку.

— Государь, — услышал он сквозь сон голос Меншикова. — Проснись!

Продрав веки, Петр Алексеевич потянулся было к дубине, стоявшей подле кровати, чтобы как следует проучить наглеца, посмевшего оторвать его от сонных грез, но рассмотрел на лице Алексашки печать наивысшего возбуждения.

— Видала, Катрин? — взглянул он на девицу, чистившую рыбу.

Отлетевшая чешуйка прилепилась Петру на ладонь. Брезгливо отряхнув руку, самодержец посетовал:

— Ну не могут без меня, олухи! Не будь меня, так все царство профукают! Чего там на сей раз стряслось? Докладывай!

— Петр Алексеевич, англичане прибыли, тебя по всему городу ищут! Забрать тебя в Англию хотят. Сам английский король поклон шлет.

— Вот так оно всегда, — неохотно откинул одеяло государь. — Только разнежишься, так обязательно найдется олух, который разбудит.

Тощий, узкогрудый, с невероятно удлиненными конечностями, словно состоящий из сплошных острых углов, без одежды государь выглядел почти нелепо. Потянулся малость, почесал обнаженный живот и спросил невесело, окончательно пробуждаясь ото сна:

— Как звать-то их, помнишь?

— А то! — обидевшись, воскликнул Меншиков. — Главный у них — вице-адмирал Митчелл, а с ним еще маркиз Кермартен. Тоже важная птица навроде нашего Лефорта.

— Ладно, поглядим, что за птицы, — пообещал

государь, натягивая цветастые порты. — Катрин, ухожу я! — произнес государь по-немецки.

— Надолго? — спросила девушка, на секунду отвлекаясь от чистки рыбы. — Хочу приготовить тунца, такого, как ты любишь, Питер. Когда придешь?

Александр Меншиков с интересом наблюдал за Петром. Ни дать ни взять — семейная пара. Уж не обабился бы государь, тогда его в Россию и не вытащишь! Вот сейчас хозяин оденется и пойдет на верфь зарабатывать талеры на платье зазнобе.

Накинув рубашку, Петр Алексеевич крякнул. Ради парного тунца он мог отменить и важную встречу. В платье амстердамского крестьянина государь выглядел нелепо.

— Государь, как-то неудобно перед иноземцами, — протянул извиняющимся тоном Алексашка. — Вельможи в прихожей толпятся, пробуждения твоего ждут. Что мы им тогда скажем, ежели ты еще рыбкой пожелаешь потчеваться?

— Видать, придется с рыбкой повременить, Гретхен, — не без сожаления произнес Петр Алексеевич. — Уезжаю я.

Катрин ловко орудовала ножом. Деревянный пол был устлан ковром из разлетевшейся чешуи. Попридержав соскальзывающую рыбу рукой, она оторвалась от работы и удивленно произнесла:

— Это куда же?

Меншиков сохранял серьезность. Служанка, похоже, всерьез полагала, что самодержец будет доживать свой век в крестьянской лачуге. В сущности, все бабы одинаковы: царевна Евдокия Федоровна тоже все тем же вопросом задавалась.

— Пойду к английским министрам, — отвечал Петр Алексеевич, распрямившись во весь свой гигантский рост, — а то они меня заждались. Неудобно как-то, все-таки отечество представляю.

— Ох и шутник ты, Питер! — весело рассмеялась служанка. — К ужину-то ждать?

— Видно, тунца тебе придется поесть без меня. Все, кончилась сладость. Государевы дела ждут.

— А как же расплата, Питер?

— Сколько ты хочешь?

— Три талера.

— Три талера?! — ахнул Петр. — Хватит и одного. Ты мне удовольствия и на талер не доставила.

— Питер...

— На держи, — сунул он в руки служанке монету. — Да помни русского государя.

Хлопнув на прощание дверью, царь Петр вышел во двор, где его поджидал вице-адмирал с маркизом. Заметив, что царь одет как амстердамский крестьянин, вельможи невольно переглянулись: «Уж не ошиблись ли?» Но, приметив, с каким усердием слуги принялись отбивать поклоны, довольно заулыбались — перед ними и вправду был русский царь.

Напоследок Петр Алексеевич обернулся, заметив в окне Катрин, разинувшую рот от удивления. Энергично помахал ей на прощание рукой.

* * *

Едва ли не весь путь от Амстердама до Англии Петр Алексеевич простоял на палубе. В каюту он спускался ненадолго, чтобы отогреться от стылого ветра и забить табаком свою коротенькую трубку.

Все это время он находился под впечатлением от военных маневров, которые накануне в его честь произвел вице-адмирал Митчелл. Корабли по невидимому сигналу сходились для предполагаемой атаки и так же быстро расходились. Палили пушки, пахло порохом, и Петр не переставал повторять:

— Вот она где баталия! — И, повернувшись к Митчеллу, который не отставал от государя ни на шаг, заверял: — Хочешь верь, а хочешь не верь, адмирал, но у себя в России я такое же сделаю. Вот увидишь, адмирал, и пяти лет не пройдет, как на море выйду.

Сбросив с себя одежду амстердамского крестьянина, Петр Алексеевич переоделся в костюм голландского матроса и, не опасаясь свернуть себе шею, залезал на мачты, откуда приглашал обескураженного адмирала следовать за ним. Митчелл, хлопая широкими ладонями по выпирающему животу, ссылался на свою необъятную дородность. Но непременно всякий раз благодарил за приглашение.

До Англии добрались скоро. Петр Алексеевич соскучиться не успел.

Царь поселился в городе Детфорде на берегу Темзы, близ королевских доков: Это было весьма удобное место для изучения британского искусства кораблестроения. Сэр Джон Эвелин Сэйес-Корт, в доме которого предложили остановиться русскому государю, долго не мог поверить, что долговязый нескладный юноша и есть тот самый царь Питер, о котором злословила вся Европа. Но когда Петр в сердцах огрел дубиной одного из слуг за нерадивость, сэр широко раскинул для приветствия руки и, улыбнувшись беззубым ртом, радостно воскликнул:

— Узнаю царя! Именно так в наше время на флоте поступали с недобросовестными моряками.

Уже на следующий день английский король преподнес русскому царю подарок — прибывший от Вильгельма курьер сообщил о том, что в честь его прибытия на Британские острова был заложен стопушечный корабль «Ройял суверен». Услышав новость, Петр Алексеевич пожал плечами:

— Что мне делать с этой честью? Шапку-то не сошьешь!

Первые несколько дней, уклонившись от визита, Петр Алексеевич разгуливал по городу и находил, что он неплох. Беззастенчиво заглядывался на женщин, вспоминая о том, что на противоположном берегу пролива он оставил служанку по имени Катрин. Эх, хороша девица, а перси такие, что не надержишься! При воспоминании о барышне ладони Петра невольно начинали потеть. В пальцах появлялся зуд.

В кармане у государя лежала эпистола от Евдокии Федоровны. Дважды он пробовал ее разбирать, но, не осилив до середины, небрежно комкал бумагу, оставляя чтение на потом.

Что она такого может отписать?

Государь, сопровождаемый денщиками, заявлялся домой поздно вечером. Еще некоторое время в комнатах звучал разговор, раздавался громкий смех, слышался звон расставляемой посуды, а потом как-то неожиданно устанавливалась тишина. Царь, разложив медвежьи шкуры на полу, отправлялся почивать.

Повеселившись с неделю и испробовав в корчмах питие, Петр Алексеевич решил, что доморощенная водка будет покрепче да и глотку дерет, как подобает, и на восьмой день заявился на королевскую верфь вместе с маркизом Кермартеном, где и провел целый день, стругая доски. Возвращался государь, как и подобает мастеровому, с топором на плече и усыпанный с головы до ног стружкой.

Маркиз нрава легкого и веселого государю пришелся по душе и по окончании рабочего дня решил отправиться с ним в харчевню, чтобы скрепить дружбу вином.

Вечером от князя Ромодановского царю пришло письмо, в котором тот немилосердно ругал царя за пристрастие к вину и за то, что не вовремя ответил на предыдущее послание.

На следующий день маркиз Кермартен препроводил Петра Алексеевича в Гринвичскую обсерваторию, где тот пять часов кряду наблюдал звездное небо. А когда это занятие самодержцу наскучило, он попросил отвести его куда-нибудь в более веселое место. Маркиз Кермартен, посовещавшись с вице-адмиралом Митчеллом, решил, что лучшего места для увеселения, чем замок Тауэр, не сыскать во всей Англии, и вызвался лично побыть в качестве экскурсовода. Побродив по темницам, он углядел топор, которым за полвека до того отрубили голову Карлу I, и, поморщившись, решил экскурсию на том прервать.

По дороге к дому Петр Алексеевич заметил часовую мастерскую и, заинтересовавшись, повернул туда. Царь долго рассматривал, как мастер, установив у глаза линзу, проворно раскручивает крохотной отверткой миниатюрные часики. Ликованию государя не было предела, когда разобранные части, соединившись в единое целое, слаженно затикали.

К государю тут же пришла идея превзойти в проворстве королевского часовщика. Скупив в магазине пару сотен часов, он всю последующую неделю разбирал их на составные части, после чего собирал вновь. Ни одни из собранных им часов так и не заработали. Зато Петр Алексеевич убедился в том, что подобное ремесло требует дополнительной сноровки и знаний. Десять дней подряд он брал уроки мастерства у королевского часовщика, поломав попутно еще три сотни механизмов. А когда однажды разбитые часы заходили вновь, то радости государя не было предела.

Последующие дни Петр Алексеевич посвятил корабельной работе. Тем не менее времени у него хватило и на то, чтобы посетить пушечно-литейный завод в Вулидже, монетный двор, а также испытать несколько любовных приключений. Последней его страстью была актриса Гросс, сумевшая покорить его звонким голосом и необычайной гибкостью.

Как позже выяснилось, актриса была настоящая собирательница знаменитостей: в списке ее возлюбленных оказалось три маркиза, четыре графа, даже датский принц, но столь значительного достижения, как русский царь, у нее еще не было. И актриса не однажды хвасталась перед подругами столь ценным приобретением.

Время на Британских островах летело незаметно и с большой пользой. А когда настала пора расставания с любовницей, Петр Алексеевич, порывшись в карманах, выудил из них пятьсот пенни, чем ввел актрису Гросс в необыкновенное уныние.

Маркиз Кермартен, бывший любовник актрисы, учтиво улыбнувшись Петру, пожурил его за скупость, заметив при этом, что такую сумму он отдавал ей за ночь.

Петр Алексеевич долго смеялся над простофилей маркизом, после чего отвечал:

— За такие деньги, маркиз, мне люди служат умом и сердцем. А мадам Гросс служила мне тем, что могла дать. Но уверяю вас, маркиз, полученное удовольствие не стоит тех денег.

В последней день своего пребывания в Англии Петр Алексеевич нанес визит Вильгельму III в Кенсингтонский дворец.

Протянув на прощание руку, король произнес:

— Надеюсь, что время было проведено с пользой.

На том и расстались.

Глава 17

НОВАЯ ФАВОРИТКА

В прошлый вечер в свите своей супруги саксонский курфюрст, а с недавнего времени польский король Август, заприметил хорошенькую фрейлину лет шестнадцати. Весь последующий день он обдумывал, как бы поестественнее познакомиться с новенькой фрейлиной, чтобы не вызвать очередного неудовольствия супруги. Так ничего и не придумав, король пригласил супругу вместе с фрейлинами прогуляться по саду.

— Где вы были раньше? Прежде я вас не видел, — подошел Август к девушке, выражая удивление.

— Потому что во дворце я нахожусь всего лишь два дня. Наше поместье располагается в двадцати километрах от Дрездена.

Кожа у девушки была необыкновенной — снежно-белой, губы — тонкими, слегка капризными. Она напоминала бутон, взращенный заботливым садовником. Следовало бы дождаться, когда он наконец раскроется, чтобы в полной мере оценить его красоту, но желание вдохнуть аромат было столь велико, что хотелось сорвать цветок немедленно под самый корень.

Девушка отвесила принцу глубокий поклон, и Август не без удовольствия задержал взгляд на ее пухлой груди, рассмотрев у самого соска крохотное родимое пятнышко.

Чуть присев, девушка продолжала смотреть себе под ноги, не решаясь взглянуть на Августа. Королева в сопровождении фрейлин удалялась в глубину сада. Август ленивым взглядом проводил благоверную, ожидая, что она оглянется. Но мудрая супруга, прекрасно осведомленная о слабостях мужа, сделала вид, что ничего не произошло. В конце концов, поведение мужа давало ей право на свои маленькие секреты, в которые Август предпочитал не вмешиваться.

— Неужели всего два дня?

— Да, ваше величество.

— Интересно. И как зовут вас, моя прелесть?

— Агнесса... Агнесса Вагнер.

Она подняла голову и посмотрела на герцога.

На тонких губах играла лукавая улыбка. Возможно, что такой откровенный взгляд и мог бы сразить наповал какого-нибудь молодого пажа, не искушенного в искусстве обольщения, но уж никак не Августа, закаленного в любовных утехах.

На лбу короля обозначилась отчетливая складка. Лицо приняло слегка разочарованное выражение. А ведь она не столь неопытна, как сразу показалось. Девушки Саксонии взрослеют на удивление быстро.

Август привык к легким победам. И где-то в глубине души рассчитывал хотя бы на слабое сопротивление. Но видел, что под его откровенным взглядом последние условности отпали. Предложи он девушке отправиться в беседку, она без колебания приняла бы его предложение.

Но торопиться не следовало. Нужно дождаться подходящего часа. Желательно вечера. Не делать же ей непристойные предложения на глазах у супруги...

— Агнесса, как вы относитесь к поэзии? — спросил Август, поддерживая ее под локоток.

— Я без ума от поэзии, — восторженно произнесла девица.

— Какая прелесть! Знаете, ваша красота вдохновляет меня на самые романтические чувства. Если вы желаете, то я могу вам прочитать свои последние четверостишия... Скажем, в десять часов вечера.

В глазах Агнессы вспыхнул огонек надежды.

Ах уж этот двор! Всего-то нужно иметь хорошенькую внешность, чтобы стать фавориткой короля, пусть даже на непродолжительное время. Тем более что в этом нет ничего предосудительного. Расставаясь, Август делает своим любовницам дорогие подарки и даже устраивает их личную жизнь. Неплохо было бы выйти за графа. После ночи, проведенной с королем, она будет иметь преимущества перед остальными фрейлинами.

От таких мыслей у нее закружилась голова, а на щеках выступил легкий румянец.

— Но как мне вас увидеть?

— О! Не беспокойтесь, — великодушно улыбнулся Август. — Эти хлопоты я беру на себя. Вас проводят. — Подняв за подбородок двумя пальцами опущенную головку, искренне проговорил: — Боже, какая прелесть!

И легким кивком отпустил от себя прелестницу.

* * *

Агнесса не разочаровала. За те два часа, что он провел с ней наедине, девушка сумела доставить ему немало удовольствий. Причем многие из ласк напоминали те, к которым часто прибегала сама королева. Король Август невольно улыбнулся: он был уверен, что в подготовке девушки супруга принимала самое деятельное участие, а следовательно, можно предположить, что в настоящее время у его благоверной появилась новая романическая привязанность. И, обучая любовным утехам возможную фаворитку, она тем самым пытается загладить перед ним собственную вину.

Августа ничто так не волновало, как молодое и крепкое девичье тело. Даже сейчас, уже насытившись, он не желал отпускать ее от себя и продолжал поглаживать по волнующим овалам.

Часы в виде обнаженной нимфы, висевшие в

спальне, пробили один раз. Через десять минут с докладом должен явиться военный министр, но прогонять девушку не хотелось.

Для любовных свиданий Август выбрал дворец своего фаворита Аппеля, построенный на рыночной площади. Здание было выстроено в стиле барокко и отличалось внутренним великолепием. Аппель держал для короля роскошные покои, в которых Август был полноправным хозяином. О маленьких тайнах хозяина Саксонии было известно всем приближенным, включая королеву, а потому, когда Август отсутствовал в своей резиденции, они без труда догадывались о том, что курфюрст очаровывает очередную прелестницу во дворце своего любимца.

Откинув одеяло, Август подошел к окну. Базарная площадь опустела. Вдоль мясных лавок, разделяющих ее надвое, двигалась в карауле городская стража. На противоположной стороне площади возвышалась ратуша.

Сильный, мускулистый, с длинными курчавыми волосами, свободно спадающими на широкие плечи, со спокойным уверенным взглядом, в котором не просматривалось и тени надменности, Август был красив и пользовался невероятной любовью женщин. Его двор по своему великолепию ничем не уступал изыскам французского короля Людовика XIV, а в чем-то даже превосходил его.

Благодаря крепкой армии, считавшейся одной из сильнейших в Европе, он входил в число могущественнейших правителей и спешил увеличить свое влияние. Для этого требовалась всего лишь самая малость — окончательно закрепить за собой трон короля Польши. Ему уже докладывали о том, что среди ляхов зреет недовольство его правлением.

Август обернулся и заметил, с каким вниманием рассматривает его тело юная фаворитка. Смутившись, она подтянула одеяло к самому подбородку. Губы Августа дрогнули в снисходительной улыбке — девушка проявила излишнюю предосторожность. За то время, что они провели вместе, он сумел изучить ее так же основательно, как и собственную жену. Для него на теле фаворитки не осталось более никаких секретов. Но расставаться с Агнессой король пока не планировал. Еще не испорченная светом, Агнесса была откровенна и непосредственна в своих чувствах и к желаниям господина относилась серьезно.

Поведение девушки даже в чем-то умиляло: она была настолько бесхитростна, что даже не попыталась выманить у него какой-нибудь безделицы в виде перстня с алмазом. А ведь через каких-нибудь лет пять воздыхатели будут укладывать к ее ногам целые имения.

Август присел на кровать и слегка потянул одеяло вниз, обнажая красивую грудь чаровницы. Пальцы Агнессы разжались, губы растянулись в лукавую улыбку.

— Вы красивы, ваше величество.

— Зато вы воплощение совершенства.

Неожиданно для себя в какой-то момент Август ощутил прилив нежности и очень удивился изрядно позабытому чувству. Герцог старался не привязываться к женщинам, это мешает удовольствиям и делу.

Откинув одеяло, король некоторое время разглядывал ее совершенное тело. Провел ладонью по талии, бедрам, забирая в пальцы прохладу кожи. После чего осторожно лег рядом, чувствуя, как тело наполняется желанием.

В дверь негромко постучали.

Король Август не без раздражения посмотрел на часы. Именно в это самое время должен подойти военный министр. Встреча была назначена во дворце, но добрая часть Саксонии уже знала о том, что у герцога саксонского и польского короля появилась новая фаворитка, а потому не трудно было понять, где его следует искать.

Девушка подняла на Августа растерянный взгляд:

— Мне уйти, ваше величество?

— О нет, моя прелесть. Можете остаться.

Герцог облачился в камзол и только после этого произнес:

— Входите, барон.

Поклонившись, в комнату вошел барон Клаузе, плотный улыбчивый человек в тесноватом камзоле. В правой руке он держал треуголку, украшенную бриллиантами. Головной убор был настолько тяжел, что для его носки следовало бы нанять пажа. Во взгляде не наблюдалось и тени замешательства. За время службы он успел повидать всякое. На мгновение губы министра тронула легкая любезная улыбка, когда он взглянул на девушку. Он как бы говорил: «Не беспокойтесь, сударыня, я ваш союзник». Придворная жизнь научила его гибкости. Сегодня она — барышня на ночь, а завтра может стать влиятельнейшей особой, с волей которой придется считаться даже всесильным царедворцам.

Кроме военного ведомства барон Клаузе возглавлял и разведку, поэтому был прекрасно осведомлен, что творится в каждом европейском дворце. Русское государство впервые отправило в Европу столь многочисленное посольство, за которым пристально наблюдали едва ли не все королевские дворы.

— Садитесь, — предложил герцог. Откинув полы кафтана, барон присел на предложенный стул. — Так что вы скажете о русском царе? Может, вы меня повеселите анекдотами из его жизни?

— Русский царь или чрезвычайный хитрец, или очень недалекий человек. В Риге он прошел в крепость и целый час делал там разные зарисовки. А когда его попытались из крепости вывести шведские гвардейцы, то он едва не учинил с ними драку.

— Однако! — развеселился герцог. — Он мне начинает нравиться все больше.

— В Кенигсберге царя Петра встречал придворный церемониймейстер, весьма уважаемый муж, ученый, поэт. Так царь распорядился, чтобы тот привел ему уличную девку.

Голова короля высоко запрокинулась:

— Ха-ха-ха! Он ведет себя, как самый настоящий варвар, но думаю, что он не лишен обаяния.

Барон сдержанно улыбнулся. Ему хотелось посмотреть на реакцию девушки с веселыми глазенками, но в этом случае он мог накликать на себя гнев курфюрста.

— В Саардаме он ухаживал за служанкой трактира. Некоторое время женщина держала оборону, сдерживая натиск Петра, принимая его за обыкновенного плотника. Но когда царь Петр подарил ей пятьдесят дукатов, то она сдалась.

— Неужели русский царь может походить на плотника? — удивился Август.

— Своей одеждой русский царь никак не отличается от остальных людей, — уверенно отвечал барон. — Он носит очень простую одежду, какую предпочитают небогатые офицеры. Практически совсем не использует дорогих украшений. На одном из балов в Амстердаме, устроенном в честь русского посольства, он подошел к одной красивой даме и сказал, что покажет ей нечто такое, от чего ее душа наполнится счастьем. Дама немедленно последовала за русским царем, предвкушая романтическое приключение, но он привел ее в сад, где строился ботик и, сунув в руки рубанок, стал показывать, как следует обращаться с инструментами.

За спиной раздался сдержанный короткий смешок прелестницы. Барону очень хотелось посмотреть на выражение лица барышни, но мешал направленный на него взгляд саксонского курфюрста.

Август улыбнулся:

— Думаю, что дальнейшее учение продолжалось в более приватной обстановке. О чем еще говорят в Европе?

— Русский царь с большими причудами и совершенно дикого нрава. Он может переходить от меланхолии к необузданному веселью. В большом напряжении он держит всю свою многочисленную свиту. В нем живет ребенок, жадный до забав. Так, например, во дворце амстердамского бургомистра ему понравилась красивая дама...

— Понимаю, он пригласил ее на тайное свидание, — улыбнулся курфюрст.

— Если бы так, ваше величество. Он стал забавляться тем, что принялся за корсет ей кидать драгоценные камни.

— Ради этого можно и потерпеть. Русский царь умеет быть щедрым.

— Его щедрость граничит с необычайной скупостью. В Кенигсберге он расплатился с местной проституткой всего лишь несколькими монетами. А когда та стала возражать, заявив, что стоит значительно дороже, то ответил, что она не принесла ему удовольствия даже на эту сумму.

— Русский царь невероятно остроумен. Внимательно следите за русским царем, контролируйте каждый его шаг. Не исключено, что под маской простака скрывается изворотливый и хитрый ум, какого еще Европа не знала.

— Сделаю все от меня зависящее, ваше величество.

— Кажется, русский царь разговаривает на немецком.

— Разговаривает, но плохо. Знает еще и голландский, во всяком случае, может объясниться на уровне моряка.

— Русский царь весьма способный малый. Что ж, ступайте, — отпустил курфюрст барона легким кивком.

Дверь за бароном закрылась. Прошел месяц, как от графини Корф было получено последнее послание. Август всерьез опасался, что Луиза с ее авантюрным характером могла попасть в серьезный переплет. Следовало подыскать ей замену.

Август повернулся к девушке и, подарив ей одну из самых сердечных улыбок, спросил:

— Как вы относитесь ко мне?

— Вас невозможно не любить, ваше величество.

— Приятно слышать. Тогда сделайте вот что. Из-за любви ко мне и к Саксонии...

— Я готова на все, мой господин.

— Станьте возлюбленной русского царя. Неплохо было бы, если бы он забрал вас с собой в Москву в качестве трофея, — Август улыбнулся, сделавшись неотразимым. Весь его вид источал обаяние. Улыбка была одной из самых сильных сторон короля. — Думаю, что с вашими данными это будет несложно. Тогда я бы знал обо всем, что делается в его окружении. Вы ведь хотели служить при дворе?

— Да.

— Считайте, что это ваша служба. Скоро царь Петр прибудет в Дрезден.

Август опять улыбнулся. Вся Европа знает, что женщины — его главное оружие. Интересно, осведомлен ли об этом русский царь?

Глава 18

БАТЮШКА МОЙ, СВЕТ МОЙ ЯСНЫЙ

В Преображенском приказе князь Ромоданов-ский засиделся дотемна. Поначалу делал внушение нерадивым, которые возводили хулу на государя, затем допрашивал истопника, готовившего заговор на здоровье государя, читал подметные письма. Когда устал, то повелел принести ведро браги. С питием оно как-то веселее вечерять, а когда уже было одолено четыре ковша и в голове бодро загудело, то к Федору Юрьевичу явился посыльный от князя Авдия Черкасского.

Перешагнув порог, он хрупкой тростиной переломился в поясе, привычно коснувшись кончиками пальцев пола, и, распрямившись, молвил бодро:

— Грамота тебе, Федор Юрьевич, от князя.

— Давай сюда, — не вставая с места, пожелал Ромодановский, протянув руку.

Посыльный расторопно пересек палаты и сунул в раскрытую ладонь скрученную грамоту.

— Брагу хочешь? — хмуро поинтересовался Ромодановский, глядя на отрока.

Губы юноши широко расползлись в благодушной улыбке:

— Только самую малость, а то в горле першит.

— Егорка, налей гостю хмеля, — распорядился князь Ромодановский.

Прибежавший Егор черпанул ковшом из бочки брагу и налил ее в пустой стакан, стоящий на столе.

— Твое здоровьице, боярин, — обхватил длинными пальцами стакан посыльный и жадно выпил угощение. — Ядреная, — довольно протянул он, утерев рукавом мокрый рот. — Такая, что аж глотку дерет. Иноземная водка послабже будет.

— На словах князь передал что-нибудь? — спросил Федор Юрьевич.

Скосив взгляд на брагу, стоящую в самом центре стола, посыльный отвечал:

— Сказал, что пусть Федор Юрьевич присмотрится к тем, кто прибыл в последние недели. Среди них могут быть лазутчики шведского короля.

— Ах вот оно что! Ладно, иди, — отмахнулся Федор Юрьевич. — Хотя постой... Как там в Стокгольме?

Махнув безнадежно рукой, посыльный отвечал:

— Маета одна. Скукотища! Бабы и то худые, подержаться не за что.

— Я не о том, болван! Что там о России глаголют?

— Говорят, что война с русскими будет... Вот только когда, неведомо, — развел он руками.

— Ступай!

Князь Ромодановский внимательно перечитал письмо. Князь Черкасский сообщал о том, что в Москву королем было отправлено доверенное лицо самого Карла XII с особой миссией. Оставалось только выяснить, что это за лицо и что за миссия. За последний месяц в Кокуе осело восемь человек: пять мужчин и три женщины. Следовало присмотреться к ним повнимательнее.

Солнце спряталось за близлежащую церквушку, купола которой сделались темно-красными, будто пролитая кровушка. «Ну и почудится же такое! — Рука князя невольно потянулась ко лбу. — Посидишь тут в пыточной, позлодействуешь, так еще и не такое привидится!»

Из Преображенского приказа никто не уходил. Изба пустела только тогда, когда Ромодановский отправлялся в свой дом. Но часто бывало, что, перепив, он засыпал где-нибудь на топчане, а то и вовсе укладывался под дыбой. И тогда челядь, стесненная его присутствием, разбредалась по приказу в поисках удобных уголков для сна.

Время неумолимо приближалось к полуночи и,

судя по огромному жбану с брагой, что был выстав-
лен на столе, князь покидать приказ не собирался
еще долго.

Дверь приоткрылась, и в проем просунулась
кудлатая голова дьяка Назара Маршавина. Хли-
пенький, неимоверно худой, с синюшным носом,
что выдавало большую страсть к зеленому змею, он
тем не менее являлся доверенным лицом князя Ромодановского.

Дьяк обладал самой заурядной внешностью. Не
опасаясь его присутствия, простой люд мог говорить что угодно. Никто и не подозревал о том, что
невзрачный тип с испитым лицом внимательно
вслушивался в речи, выискивая крамолу.

Многие из болтунов впоследствии оказывались
в казематах Преображенского приказа, так и не до-
гадавшись, какая именно нелегкая привела их сюда.

— С чем пришел?

Назар протиснулся в щель. Сгорбившись в почтении, заговорил вкрадчивым голосом:

— Третьего числа в доме игумена Сильвестра
Медведева собирались подозрительные люди. Среди них немец Мюллер, а с ними еще один вновь
прибывший...

Князь Ромодановский поморщился. Мюллер
уже трижды заявлялся к царевне. Год назад, в обход
Петра, он доставил ей письмо от саксонского курфюрста.

— Как фамилия прибывшего? — спросил Федор Юрьевич

— Фамилию запамятовал, уж больно она зако-
выристая.

— Где он остановился?

— У трактирщика Ганса.

— Ох уж этот Ганс! — вздохнул Ромодановский. — Сколько он в Москве живет?

— Да уж, пожалуй, лет пять будет. Дочки у него очень хороши, особенно старшая, Гретхен, — отвечал Маршавин, широко улыбаясь.

— Ты не лыбься понапрасну. Знаю, о чем ты думаешь. Придет время, я с ним разберусь, — пообещал Ромодановский, наливаясь злобой. — О чем говорили у игумена?

— Не ведаю, князь. Хотел было к окнам подкрасться, так они пса с цепи спустили. Он, окаянный, полночи вокруг здания кружил, приблизиться не давал.

— Что потом было?

— На следующее утро немец Мюллер отбыл к Софье Алексеевне. Видать, за советом, а с ним и этот новый поволочился, что из Швеции прибыл...

— Опять какую-то крамолу надумали. Уж больно она его хорошо привечает. Вот разве что только с хлебом и солью не встречает, — вздохнул князь.

Князь Ромодановский все более мрачнел.

Царевна не умела сидеть сложа руки. Она поддерживала тесные сношения со шведским королем, с императором Римской империи Леопольдом I, а также всеми, кто, по ее мнению, мог бы помочь ей получить престол. В одном из перехваченных писем к шведскому королю она называла себя «единоличной хозяйкой России». Игумен Сильвестр Медведев был дружен с полюбовником царевны князем Голицыным и часто объявлялся в его доме. О чем они говорили, неизвестно, но, как поведал приказчик, впоследствии допрошенный в Преображенском приказе, государя в разговорах поминали нередко. Чего же царевна надумала на сей раз?

— Беспокоит меня этот трактирщик Ганс. А более его дочки.

— А дочки-то чего? — едва не поперхнулся Маршавин.

— Чего говоришь? Егор! — громко позвал Ромодановский

— Здесь я, Федор Юрьевич, — выскочил из коридора исправник.

— Ну-ка расскажи, как там Гретхен? Пусть и дьяк тоже послушает, а то он уж больно на девку запал.

— Мне кажется, что она совсем не та, за кого себя выдает.

— С чего ты это взял?

— Есть на то причины, князь. Прибыла она позже этого Ганса. Лазутчица она! Да и не держатся так с отцом! Мне думается, что они того... полюбовники.

— Ишь ты куда хватил! — подивился Маршавин.

— Как-то я в трактир нежданно вошел, так он ей что-то на ушко нашептывал и за перехват держал. А определил он ее в трактир не случайно, девка она красивая, — блаженно сощурился исправник, — вот стрельцы и прут валом! От них можно немало услышать, а все это в уши шведам попадает. Оно сразу видно, что трактир — не ее дело, для другого она служит.

— С чего ты взял? — вопрошал Маршавин.

— Как тебе сказать, дьяк, — задумчиво протянул исправник. — Уж больно она спесива для трактирщицы. Даже на стрельцов посматривает так, как будто бы они у нее в услужении. Глядя в ее строгие глаза, так и хочется взять швабру и самому полы натирать. Хе-хе-хе! — расхохотался Егор, не разжимая зубов.

— Разве трактирщицы как-то по-другому смотрят?

— Тут как-то один из стрельцов ее пониже спины погладил, так она на него так посмотрела, что тот кружку с братиной едва не выронил. И знаешь, князь, что она ответила при этом?

— Ты в загадки-то не играй, — насупился князь Ромодановский, — рассказывай, как дело было.

— Я бы, говорит, королю этакого не позволила, не то что какому-то холопу. Я еще на ее руки посмотрел. Так кожа на них такая гладенькая и чистенькая, какой даже у наших боярышень не встретишь.

— Ведь на нее как-то Петр глаз положил.

— Было дело... Петр Алексеевич к ней в трактир заходил. Две кружки с пивом заказал. Что-то ей на ушко все пытался сказать, верно, договориться хотел, а она только морщилась. Любая на ее месте уже давно бы под Петра легла, а этой, видите ли, обхождение требуется. Не понимаю я этого, Федор Юрьевич!

— Не сходится чего-то, — призадумавшись, признал судья Преображенского приказа.

— А потом Петр Алексеевич еще дважды к ней на улице подходил, все за рученьки цеплял, а она только отпихивалась. Видать, никак государю уступать не хотела.

— А Петр Алексеевич чего?

— А Петр Алексеевич от этого только еще больше распалялся. Думаю, что как приедет, так опять в трактир заглянет. Пока на кровать ее не уговорит, ни за что не успокоится.

— А ты часом не заметил за ней еще чего-нибудь? Может, она с кем-то из немцев встречается?

Исправник почесал кудлатую голову, обнаружив на самом темечке проплешину величиной с пятачок, и отвечал:

— Ничего такого не было, батюшка, — уверенно произнес он. — Но если что запримечу, так обязательно оповещу.

— Завтра к Петру Алексеевич поедешь вместе с посыльным.

— Это куда же, за границу? — ахнул Егор.

— В немецкую землю. Доложишь ему обо всем, что видел, а уж он пускай решает, как быть. Ступайте, — отмахнулся Ромодановский от гостей, как от прилипчивых мух. — У меня тут дел еще много.

— Да, батюшка, — обернулся исправник.

Дьяк невольно заглянул в жбан с брагой. Судя по тому, сколько в ней оставалось, князь намеревался заниматься государственными делами до самого утра.

* * *

Макнув перо в чернильницу, Анна Голицына в ожидании посмотрела на Евдокию Федоровну. Переживания государыни отразились на ее челе длинной кривой морщиной, под глазами появились отеки, да и румянец сошел, прежде так украшавший щеки. А под самым подбородком обозначилась отчетливая морщина, значительно состарив некогда привлекательное лицо.

— «Батюшка мой, свет мой ясный, — проговорила Евдокия, — Степан Григорьевич...»

Боярыня аккуратно выводила каждую букву. Написав, с готовностью посмотрела на государыню.

— Написала, матушка, — охотно откликнулась боярыня.

— «Чем же я тебя прогневала? От чего же ты не хочешь видеть лебедь белую? Или, может, я мало тебя ублажала? Может, мало я тебе говорила слов добрых?»

— Много, матушка, ой как много! — не удержавшись, запричитала Анна Кирилловна, тронутая болью государыни. — Не ценит он твоей любви. Получил свое, а там его и не сыщешь!

Вздохнув, государыня продолжала:

— «Лучше бы я никогда не знала твоей симпатии, слишком больно для меня расставание. Лучше бы я умерла, и тогда ты похоронил бы меня своими рученьками. Возвращайся ко мне, друг мой любезный, приголубь меня, как раньше бывало. Целую тебя, родимый, во все члены. Не дай рабе своей умереть горькой смертью». Ей и сокрушу-уся! — протянула государыня. — Написала?

— Написала, Евдокия Федоровна... Ей сокрушуся!

— Тьфу ты! — раздосадованно воскликнула царевна. — «Сокрушуся»-то к чему? Хотя ладно, пусть останется. Авось проймет! Пошли девку верную ко двору Глебова, пусть она прямо ему в руки отдаст.

Боярыня аккуратно свернула грамоту.

— Ленточкой бы красивой перемотать, государыня. А уж потом я молитву над письмом прочитаю, чтобы лиходея проняло.

— Хорошо, а уж я ответа ждать буду.

Глава 19

СЛУЖУ ИСПРАВНИКОМ

Веселье улеглось только под утро, когда из винной лавки, что находилась по соседству с пристанищем бомбардира Петра Михайлова, была вынесена последняя бутылка с вином.

Осоловелые гости разбрелись по съемным квартирам, оставив после себя груду переколоченной посуды. Трое горожан, заглянувших на веселье к бомбардиру Питеру, остались лежать под столами, пуская обильную пьяную слюну на кафтаны, изрядно запачканные вином.

По узким городским улочкам размеренно брела стража. Высокий стражник в длинном белом парике, локоны которого свисали на размашистые плечи, остановился у расставленных столов и не без интереса осмотрел груду пустых бутылок, поддел ногой поломанный стул и пошел далее, энергично стуча коваными каблуками по брусчатке.

Город затих, но только на несколько часов. Самое подходящее время для тайных дел.

Невысокий горбоносый мужчина подошел к столу и, обмакнув перо в чернильницу, принялся писать угловатым почерком. Гусиное перо энергично бегало по листу бумаги, выводя высокие буквы. В одном месте оно застыло, как будто надумало передохнуть, а потом также споро заторопилось далее.

Дописав письмо, горбоносый аккуратно свернул бумагу, перевязал, залил узел расплавленным сургучом. Сняв с безымянного пальца огромный золотой перстень с фамильным гербом, крепко впечатал его в расплавленный сургуч.

— Подойди сюда, — подозвал он юношу лет восемнадцати, нетерпеливо дожидающегося у двери. Тот подошел, почтительно наклонился. — Если не будут пускать, покажешь сей герб, — ткнул он пальцем в застывший сургуч, на котором застыл змей с распахнутой пастью. — Отдашь письмо лично министру, а уж он передаст его Августу.

— Хорошо, господин, — упрятал юноша письмо за пазуху. — А как же вы? Не боитесь?

Вопрос застал горбоносого врасплох. Следовало бы одернуть слугу за несдержанность, но помешали наивные, широко распахнутые глаза.

— Я у Петра на хорошем счету. Меня он не тронет. Ну ладно, — отмахнулся горбоносый, — ступай. Рассвет скоро.

Юноша надвинул на глаза треуголку и скорым шагом направился из комнаты. Горбоносый поднялся из-за стола, подошел к окну. Улица выглядела тихой. Но пройдет пара часов, и она пробудится от громкого смеха русского царя. А горожане, привыкшие к размеренной жизни, будут в страхе разбегаться по переулкам.

* * *

Уже светало, но уснуть царь Петр так и не сумел. Помаявшись на кровати, он поднялся. В коротком помятом халате, из-под которого торчали худые ноги, спрятанные в коричневые чулки, в громоздких туфлях, шлепающих по полу при каждом шаге, и в длинном ночном колпаке, островерхий конец которого свешивался на худое плечо, царь представлял собой комическое зрелище.

Но смеяться никто и не думал.

Несколько раз государь садился за письменный стол, пытаясь хотя бы вчерне набросать грамоту государыне, но нужные слова не приходили, и в раздражении он швырял перо, заливая чернилами бумагу.

Из соседней комнаты высунулась кудлатая голова Меншикова. Губы расплылись в любезной улыбке:

— Может, приказать чего изволишь?

— Пошел прочь! — отмахнулся Петр, и Меншиков мгновенно исчез, оставив царя наедине с тягостными думами.

Прошло добрых полчаса, прежде чем Петр Алексеевич угомонился.

— Алексашка! Вот что... Приведи-ка мне этого соглядатая. Хочу сам с ним потолковать.

Сдернув с головы колпак, царь бессильно плюхнулся в кресло. Жалобно треснуло под ним пересохшее дерево, но сдюжило. Набив в трубку табака, Петр Алексеевич жадно распалил его и успокоился окончательно, когда проглотил первую порцию удушливого терпкого дыма.

Уже через несколько минут в комнату государя привели белобрысого малого лет двадцати. Облика он был неказистого, с крупными веснушками на впалых щеках. Только перешагнув гостиничные покои государя, ударил большим поклоном, касаясь кончиками пальцев пола.

— Будет тебе, — отмахнулся Петр. — Как тебя звать?

— Егор я, при Федоре Юрьевиче служу исправником.

— Сказывай, что видел.

— Глебов приходил к Евдокии и днем, и ночью. Не стесняясь божьих сестер, целовал ее в уста. Потом она уводила его в свою келью, и наедине оставались подолгу. Бывало и так, что на день, а то и на два.

Губы Петра Алексеевича перекосились в неприятной гримасе. И он нервно вытряхнул пепел из трубки прямо на пол. Некоторое время царь сидел неподвижно, углубившись в невеселые думы. Помалкивал и соглядатай, опасаясь нечаянным словом навлечь на себя царский гнев. Ссутулившись, Петр Алексеевич некоторое время сидел неподвижно. Распрямившись, неожиданно потребовал:

— Ну чего умолк, холоп? Тебя за язык тянуть?

— Как и было велено, я в его дом тайно забрался.

— Нашел письма? — также живо отреагировал царь.

— Отыскал, государь. Целых четырнадцать! На шести письмах рука государыни, а вот остальные писала ближняя боярыня Голицына, ее поверенная.

— Что в письмах?

— Государыня просила встречи с полюбовником. Спрашивала, неужели он позабыл о ней, неужели более не любит.

Детина неожиданно умолк.

— Говори все как есть, — поторопил государь. — Не клещами же мне правду из тебя тянуть!

— Ну коли так... — пожал плечиком отрок. — Царевна обвиняла его в том, что, верно, он нашел себе другую, а она от того пуще прежнего страдает. В письмах, которые Анна Голицына писала под диктовку государыни, имеются еще и приписки. Боярыня корит окольничего, говорит, что у него нет сердца, называет его изменщиком и просит сжалиться над страданиями матушки.

— Вижу, что вник, холоп, — угрюмо произнес государь.

— Как было велено князем Ромодановским, — чуток смутившись, отвечал слуга. — Вот он меня для доклада и отправил.

Ноги у царя были тонющие, колени острые. Заденешь такое, так и ободраться можно.

— Ты уж не робей, — отмахнулся царь. — Интересно читать было?

— Не без того.

— Как письма-то нашел?

— Больно он аккуратный, сей Глебов, — сдержанно заметил слуга. — На каждом письме сделал приписку: «письмо от царевны Евдокии».

— Что-то озяб я, — проговорил Петр. — Алексашка! Одеяло дай, ноги укрыть.

Меншиков сорвал с кровати одеяло и бережно укрыл ими ноги царя, но даже через толстую ткань было видно, как острыми буграми выпирают его колени.

— Отправляйся в Москву с письмом. Пусть князь Ромодановский учинит розыск. Вора, окольничего Глебова, пытать, пока в блуде не признается. — Петр Алексеевич зябко передернул плечами, справляясь с ознобом. — Всех монахинь, виноватых в сводничестве, пытать, пусть правду расскажут. Наказать кнутами. А поверенную государыни боярыню бить до тех самых пор, пока не признается.

— А коли не признается?

— Тогда с палача спроса никакого.

— Как с государыней поступить?

— Как приеду, отправлю в монастырь за прелюбодеяние. А теперь ступайте отседова, выспаться хочу!

* * *

Евдокия Федоровна утопала в перине. Сон не брал. Повернувшись на бок, она закрыла глаза. Ближняя боярыня Анна Кирилловна, находившаяся подле, аккуратно подправила сползшее одеяло.

— Матушка, может, тебе почитать «Житие святых»?

Эта была одна из любимых книг государыни, она помнила ее едва ли не наизусть, но всякий раз приносила почитать вновь.

— Давай, — пожелала царевна. — Про Софью.

Боярыня Голицына открыла книгу на нужной странице, когда в опочивальню негромко постучали и из-за двери раздался взволнованный голос:

— Матушка, Евдокия Федоровна, открывайте, это я, боярышня Куракина.

— Чего же ей надобно? — нахмурилась ближняя боярыня. — Вот я ей сейчас задам!

— Открой, — распорядилась царевна. — Пусть войдет.

Голицына направилась к двери. Щелкнула задвижка. Широко распахнув дверь, вбежала боярышня.

— Матушка! Матушка! Беда приключилась! — заголосила боярышня. — Что же нам теперь делать?!

— Да не кричи ты, — строго наказала царевна, приподнимаясь. — Что такое?

— Матушка, вы ведь знаете, что я у Преображенского приказа стою по твоему наказу. Юродивой прикинулась.

— Так и что с того?

— Вчера вечером посыльный к Ромодановскому прибыл от Петра Алексеевича.

— Вот как! — ахнула царевна.

— Я как раз в сенях находилась. Меня рекруты супом грибным угощали.

— Дальше говори, — поторопила Евдокия Федоровна.

— Почуяла, что неспроста. А когда князь Ромодановский во двор вышел, так я к нему в палату тайком заглянула. Посмотрела на стол, а там грамота лежит, ну я и прочитала...

— Да не тяни ты, девка! — тряхнула царевна боярышню за плечи. — Что в эпистоле?

— В монастырь он хочет тебя отправить, государыня, — всхлипнула боярышня. — А еще наказал Федору Юрьевичу, чтобы сыск в Богоявленском монастыре устроил. Тебя в прелюбодеянии обвиняет, обо всем этом патриарху хочет поведать, — утерла боярышня проступившие слезы.

— Господи, — из рук Голицыной выскользнуло «Житие святых». Упав на пол, оно так и осталось там лежать. — Что делать-то, Евдокия?

От лица государыни, и без того бледного, отхлынула кровь, сделав его совершенно безжизненным. Черты лица Евдокии застыли, будто помертвели. С минуту она была неподвижной, уперев взгляд в противоположную стену, затем уста раскрылись и она произнесла тихим голосом:

— Поглядим еще, как далее сложится. Государыня — не рукавица, с руки не смахнешь! Анна Кирилловна, поезжай сейчас в Богоявленский монастырь, предупреди сестер, что едет к ним гость, кровопийца Ромодановский. Да пусть за меня не беспокоятся, тронуть меня он не посмеет.

* * *

Уже два дня Степан Глебов пребывал в селе Раево, раскинувшемся на берегу Яузы. Место тихое, неопасное. Вполне подходящее для того, чтобы переждать ненастье. А кроме того, село славилось знатными пивоварами, а доступных девиц было столько, что за пригоршню мелочи можно было скупить целый ворох. Так что знай попивай себе пиво да щупай девиц!

В селе Раево жил его свояк, с которым окольничего связывала служба государю. Прежде он был стольником при Петре, а когда увлекся «нептуновыми сражениями», занимался сбором хвороста для костров.

С пивом и в хорошей располагающей беседе время проходило незаметно, а потому два дня миновали в одно мгновение. А когда однажды Глебов продрал глаза, то увидел прямо перед собой дворового холопа Артема с растрепанными волосами. В какой-то момент Степану даже показалось, что он находится в своем доме, а верный холоп, согнувшись над хозяином, только и ждет команды, чтобы принести ковш рассола для похмелья.

Но, повертев головой, Степан обнаружил, что по-прежнему гостит у свояка, который, изрядно перебрав хмеля, негромко посапывал на сундуке.

Через алкогольный угар продралось недоброе предчувствие, и Степан, ухватив холопа за шиворот, произнес в страхе:

— Что с Лукерьей?!

Прикрыл Артем глаза, пережидая гнев, а потом, разлепив, заговорил, не смея поднять очей на господина:

— Батюшка ты наш, Степан Григорьевич, не гневись ты на нас Христа ради. Нет нашей вины...

— Да говори ты, в чем дело, холоп!

— Князь Федор Ромодановский забрал всю твою семью в Преображенский приказ. Сказал, что пока ты не явишься, Лукерью с детушками не отпустит.

— Воды мне, — прохрипел Степан, ухватившись перстами за ворот.

— Сейчас, батюшка!

Зачерпнув ковшом из бочки воды, холоп протянул его окольничему.

— Чего ты мне в рожу-то ковшом тычешь? — горько посетовал Степан. — На голову лей!

— Как скажешь, Степан Григорьевич!

Тонкая струйка покапала на темечко окольничего, слепила растрепанные кудри и заторопилась далее за шиворот.

— Еще лей! — потребовал Степан.

— Ага!

Скребанув ковшом липовое дно бочки, Артем поднял полный ковш и, стараясь не расплескать, бережно поднял к Степану. Уперевшись локтями в колени, окольничий обхватил голову и молчал. Так бывает, когда наваливается неслыханное горе. Вот, кажется, распахнешь глаза, и все будет по-прежнему...

Вода намочила кафтан окольничего, залила сапоги и через щели в полу сбежала на землю.

— Все, — распрямился окольничий, — теперь поехали.

— Как же в таком виде, батюшка, — воспротивился холоп, — что же народ-то скажет?

— Теперь мне все равно, — махнул в сердцах окольничий.

Свояк, подложив ладонь под щеку, все так же безмятежно спал. Задержал на нем взгляд Степан, завидуя его покою, и, открыв дверь, зашагал в неизвестность.

* * *

Путь до Москвы показался дальним. Коней попридержали только у заставы поздним вечером. Тяжелый крашеный шлагбаум перегородил накатанную колею, а десятник, малый лет двадцати, глянув в карету, строго поинтересовался:

— Куда едем, господа?

— К князю Ромодановскому, дурья башка! — зло отвечал окольничий.

— Пропускай! — махнул рукой десятник.

— Беглые на дорогах шастают, — повернулся Артем к окольничему, — вот и стерегут.

Уснуть окольничий не сумел. Едва смыкал глаза, как тотчас досаждали ужасные видения. Виделись раздетые донага и распятые на полу дочери, а рядом с ними солдаты Преображенского полка. Лукерья, уже опозоренная, жалась в углу, а над ней, сотрясая огромное брюхо, возвышался князь Ромодановский.

— Ы-ы-ы! — раненым зверем прорычал окольничий.

— Вы бы себя поберегли, Степан Григорьевич, — участливо посоветовал холоп.

— Плохо мне, Артемка, — покачал головой окольничий. — Ой как мне плохо! За грехи меня господь карает.

К Преображенскому приказу подкатили за полночь. Два раза натыкались на заставы стрельцов. Угрожающе помахивая бердышами, детины останавливали карету и, узнав окольничего, отмахивались:

— Поезжай!

Вдоль ограды Преображенского приказа полыхали факелы, освещая колыхающим заревом двор. Вот она, геенна огненная! Перешагнешь порог и сгинешь в пламени...

Преодолевая страх, Степан Григорьевич сошел с кареты и, вкладывая в шаг подобающую твердость, заторопился к приказу, где несли дозор двое солдат Преображенского полка.

— Куда идешь? — встал на пути окольничего рекрут.

Лица в потемках не разобрать, но, судя по голосу, настроен недоверчиво.

— К судье Федору Юрьевичу Ромодановскому.

Солдат сделал шаг вперед. Отблеск огня упал на его лицо, давая возможность рассмотреть повнимательнее. Так оно и есть, совсем юнец. Из последнего царева набора, оторвали, можно сказать, от мамкиных персей.

— Кто таков?

— Окольничий Степан Григорьевич Глебов.

В глазах отрока обозначился откровенный интерес, и в следующую секунду прозвучало любезное:

— Ну проходи, коли так. Князь Ромодановский у себя. Припозднился нынче, в приказе ночевать будет.

На негнущихся ногах окольничий пересек двор. Собираясь с духом, постоял перед дверью приказа и потянул на себя ручку. В лицо шибануло чем-то прелым. Странно. Сколько раз приходилось здесь бывать, но прежде зловонного духа не замечал. В подсвечниках оплывали свечи, освещая длинный коридор. Обломилась тень и длинной дорожкой упала на коридор, заползая на противоположную стену.

Коридор заканчивался небольшой узкой дверью, где начиналось подземелье. Там содержали злоумышленников, обреченных на кончину. Каменные мешки были переполнены голодными крысами. Узникам приходилось не спать, чтобы не быть съеденными во сне. Все их силы уходили на то, чтобы отбиваться от нападающих тварей.

Окольничего парализовал ужас, когда он вспоминал о страшной комнате. Неожиданно боковая дверь распахнулась, и он увидел князя Ромодановского. За те несколько месяцев, что они не виделись, стольник еще больше раздался в размерах, напоминая пивной бочонок. Но смотрел трезвым взглядом, явно наслаждаясь страхом окольничего. Князь даже не удивился его приходу и повел себя так, как если бы они разминулись какую-то минуту назад.

— Проходи, — показал он на распахнутую дверь. А когда окольничий вошел в пыточную, разглядывая боярина через дыбу, занимавшую едва ли не половину помещения, участливо поинтересовался: — Ну как тебе здесь, милок?

Окольничий дернул плечами и отвечал рассеянно:

— Бывало и похуже.

— А мне здесь, жуть! — откровенно признался князь, устраиваясь за столом. — Весь дом кровушкой пропах. Порой сидишь здесь и думаешь: «Что же я тут делаю?» А ты сам-то не почувствовал? — спросил он, прищурившись.

Окольничий стоял у окна, понуро склонив плечи. Его судьба находилась на расстоянии аршина. Пожелает Ромодановский отрубить ему голову, так тут же найдутся охотники исполнить приказ. Зарубят где-нибудь в углу двора и сбросят тело в выгребную яму. Пожелает отпустить восвояси, так пинками отправят со двора.

— Нет, боярин.

— Ну и славно, — почти обрадовался князь Ромодановский. — Тут как-то немец захотел нашу темницу посмотреть. Так он все время платок у носа держал. Хе-хе-хе... Из его иноземной речи я только одно слово и понял: «Кошмар!» Как будто бы у них там головы не рубят. Я все Матвею высказываю: «Окна распахни, дурень! Кровищей за версту от нашего приказа тянет!. А он не слышит. Вот как вздерну его самого на дыбу, тогда мигом станет соображать. Никому ничего доверить нельзя, — пожаловался князь, поглядывая на покаянную голову окольничего. — Скоро мне и головы придется рубить. Даже пытать толком не научатся. Вот потому я и заплечных дел мастер, и дознаватель. Как выходишь из пыточной по локоть в крови, так потом от меня все просители шарахаются. А с другой стороны, Степан Григорьевич, что тут поделаешь? Ведь кто-то и такими делишками должен заниматься. Кому-то ведь надо спасать отечество от смуты. Сам-то ты что об этом думаешь?

Переминаясь с ноги на ногу, Глебов отвечал, посмотрев в жабьи глаза боярина:

— Надо, Федор Юрьевич.

— Вот и я об этом же. Видно, и тебе тоже достанется, Степан Михайлович, ты уж на меня не взыщи. Тебя тоже придется по государеву делу пытать. Вот мы сейчас с тобой разговариваем, а Еремей клещи на огне накаливает. Правду из тебя тянуть будем!

— Князь Федор Юрьевич...

— А что поделаешь? — печально вздохнул судья приказа. — Служба у нас такая дрянная. Не о себе приходится думать, а об отечестве. Ты же знаешь, Степан Григорьевич, я ведь хорошо к тебе отношусь.

— Я знаю, князь.

— Вот и славно. Так что не обессудь.

— Федор Юрьевич, ты бы отпустил жену с детишками. На что они тебе? — взмолился окольничий. — Пришел ведь я.

— Да что с ними станется? — отмахнулся князь

Ромодановский. — Посидят у меня в темной да к себе пойдут. Ежели, конечно, крысы не сожрут. Хе-хе...

— Князь Федор Юрьевич...

— ...Хе-хе. Зато больше государя любить станут. Матвей! — проорал Федор Михайлович.

Дверь приоткрылась, и в комнату просунулась крупная голова заплечных дел мастера Матвея. На перепуганном лице застыло угодливое выражение. Детина был огромного роста, наголо стриженный, причем так неровно, что казалось, будто волосы на голове состоят из сплошных узлов. Узники пугались только одного его вида.

Матвей уже три года служил заплечных дел мастером, завоевав своим усердием доверие князя Ромодановского. К своему делу он относился творчески, выдумывал новые наказания, за что от князя Ромодановского неоднократно получал похвалу. Прирожденный мучитель, он получал от физического страдания своих жертв необычайное удовольствие. Шальной, непредсказуемый, умевший повысить на бояр голос, он трепетал только перед князем Ромодановским, опасаясь смотреть ему даже в лицо.

— Здесь я, князь, — не смел оторвать палач глаз от пола.

— Что у тебя в бороде-то запуталось?

— Капуста, боярин, — повинился Матвей. — Уж больно есть захотелось.

— Кто же это ночью-то жует, дурья башка, — почти любовно укорил Федор Юрьевич. — Ночью спать нужно.

— Дознание ночью нужно проводить, чтобы лиходеи с силами не успели собраться, — убежденно заговорил Матвей, добавив в свой голос значительности.

Охотно верилось, что говорит это опытный палач. Глебов не сомневался, что через его пыточную избу прошла не одна сотня горемычных.

— А с окольничим что делать будем? Коли станет запираться?

Смахнув с бороды капустные струпья, Матвей посмотрел на Степана. В его глазах зажегся профессиональный интерес, как если бы он уже примерял к фигуре Глебова орудие пыток.

— Кость у него тонка. — Князь промолчал и палач сам вынес решение: — Много не выдержит. Подвесишь на дыбе, так суставы и затрещат. — В просторной красной рубахе, доходившей до колен, он казался неимоверно тощим. На худой шее болтался тяжелый крест, свисавший до пупа.

Окольничий невольно зажмурил глаза, почувствовав, будто руки наполняются болью.

— А можно и так, — задумчиво продолжал палач, — стянуть руки и ноги веревкой, а потом воротком их скручивать.

Глаза палача вспыхнули радостным огоньком. Верилось, что в своем деле он преуспел и слыл большим мастером.

— Тут у него всю кровушку пережмет и милости попросит.

Ноги у Глебова вдруг налились тяжестью. Степан сделал шаг. Фу ты! Чего только не почудится.

— А еще можно, — голос палача заметно окреп, — руки его стянуть, да...

— Поди вон, — отмахнулся вдруг Ромодановский, — у меня от твоих слов у самого по коже мурашки бегают!

Матвей исчез.

— А теперь давай поговорим, окольничий. Что у тебя с государыней было?

— Не было ничего, боярин, — похолодел Глебов. — Святая она!

— Святая, говоришь... А только слушок тут прошел, что до замужества ты ее в траве повалял. Али не так?

Судья взирал немигающими глазами. В самой середине зрачков вспыхнул красный огонек — не говорит, а будто бы в душе кочергой шурудит. Вот потому и боялся его Матвей, что одним только взглядом пришибить может.

— Не было такого, боярин. Чем угодно могу поклясться, — быстро заговорил Степан. — Может, отроком и задирал ей платье, но то не в счет. С кем не бывало... Кто же знал, что она царицей станет!

— А разве не ты у нее в Богоявленском монастыре до самых петухов пробыл? У нас и свидетели есть.

Лоб окольничего покрылся испариной.

— Наговор все это, князь, не было такого.

— Эх, хотел я тебе помочь, Степан, да видно, не судьба. Что тебе государь сказал, помнишь?

— Помню, — едва слышно произнес окольничий.

Однако его голос был услышан. И Ромодановский, лихо хохотнув, отвечал:

— Ну вот видишь. А я на то и поставлен, чтобы волю государеву блюсти. Себя не бережешь ты, окольничий, — глубоко вздохнул князь Ромодановский, — так хоть семью пощади. Матвей!

— Все скажу, Федор Юрьевич, все, как надо, скажу, — взмолился окольничий, — только семью пожалей. Был я у государыни! Познал я ее! Той же ноченькой и познал. Только под самое утро и вышел.

— Что же это она, отпускать, что ли, тебя не хотела? — ехидно поинтересовался Ромодановский. — Ты уж признайся мне, не из любопытства спрашиваю, а из государственного интереса.

— Истинный бог, не хотела! — осенил знамением взмокший лоб окольничий. — Как прикипела ко мне, так и не оторвать. Едва упросил отпустить.

— Как же ты незамеченным-то вышел? — удивился Ромодановский. — Там ведь повсюду стрельцы стояли.

— У двери затаился, а когда стрельцы мимо меня прошли, так я через ограду перелез и в кустарнике скрылся. А оттуда уже до постоя добрался. Ни одна живая душа не разглядела.

— Дознание будем проводить, — удовлетворенно протянул Федор Юрьевич. — Патриарха пригласим. При нем то же самое скажешь?

Лицо окольничего болезненно перекосилось, как если бы его растягивали на дыбе. И, справившись со спазмом, перехватившим горло, горько отозвался:

— Скажу патриарху все, как было. А если потребуется, так и крест целовать стану.

— Вот и сладились, — весело отозвался князь.

— Семью мою отпустишь, Федор Юрьевич?

— Отпущу, — махнул рукой судья приказа. —

Что с ними сделается? На дворе они в пристрое живут. Места там на всех хватает. Даже солому постелил. Стрельца к двери приставил. Вот опять ты с лица сошел. Ну что с ним делать-то будешь! Девки у тебя больно шустрые, вот я и поставил караул, чтобы по двору не разбежались. Давай-ка лучше выпьем с тобой, окольничий, а то тебя так кондрашка хватит. Кто же тогда патриарху докладывать станет? Настойку из малины пьешь?

— Пью, боярин, — понуро отозвался окольничий.

Самым большим желанием окольничего было напиться до одури да проспать в беспамятстве несколько суток кряду.

— Вот и славно! Матвей! — позвал Ромодановский.

В пыточную, сутулясь, явно стесняясь своего огромного роста, вошел Матвей.

— Звал, государь?

— Дружков-то тать еще не назвал? С кем злодейства совершал, раскрыл? — с некоторой надеждой поинтересовался князь.

— Молчит пока, — честно признался Матвей. — Но у меня это ненадолго. Жилы из него тянуть буду, но до правды докопаюсь. А уж если что, так к крысам! А то они, почитай, уже целую неделю не жрали, — губы палача разошлись в нехорошей улыбке; вместо передних зубов торчали почерневшие осколки.

— Татя позавчера изловили, — пояснил Федор Юрьевич Степану, — на Владимировском тракте вместе с сотоварищами промышлял. Купца Никифорова вместе с приказчиками живота лишил. Товар его пограбили. Вон кого на дыбе разодрать следует! Ты посмотри, окольничий, как он на тебя смотрит, — хихикнул князь. — Хочет клещами из тебя потроха вытянуть. Дай ему волю, так он и чадо невинное на дыбе растянет. А ведь к каждому подход должен быть. Понятно тебе, дурья башка? — ласковым голосом поинтересовался князь Ромодановский у палача.

— Как не понять, боярин! — важно протянул Матвей. — Ведь на государевой службе.

— Вот ты посмотри на окольничего. Стоило с ним только по-хорошему поговорить, как он мне сам все рассказал. А ты говоришь, клещами правду вырывать нужно!

Матвей широко улыбался. На его лице аршинными буквами было написано обожание. Прикажи князь Ромодановский в омут головой, так он мешкать не станет.

— Разве он может отказать, когда его князь Ромодановский попросит, — поддакнул палач.

— Вот что, — посуровел Федор Юрьевич, — женушку окольничего крысы еще не съели?

Посмотрев на побелевшего Степана, Матвей широко улыбнулся, показав почерневшие корни выбитых зубов:

— Да кажись, цела.

— Ну тогда веди, — повернувшись к окольничему, князь строго наказал: — Все как есть патриарху расскажешь. А там и того.... В монастырь ее, окаянную, — с видимым облегчением заключил Ромодановский.

Глава 20

ОТВОРЯЙ ВОРОТА, ГОСУДАРЕВ СЫСК!

Сразу же после разговора с государыней Анна Кирилловна выехала из Москвы. В Богоявленском монастыре она была уже ближе к вечеру. Вышла из кареты перед самыми вратами, осенила лоб, глядя на золоченые купола, и последовала во двор.

Встречать именитую гостю вышла сама игуменья. В глазах у монахини ни тени удивления. Каких только гостей не бывает в обители, а место для постоя всегда отыщется. Немного настораживал только взгляд ближней боярыни. Несмотря на сдержанность и учтивость, с какой она обратилась к игуменье, чувствовалась ее взволнованность.

С чего бы это? Расспрашивать поначалу не стала, проводила в трапезную, повелела принести пития и только когда была утолена жажда, боярыня заговорила сама.

— Матушка, уходи из монастыря! Скоро здесь князь Ромодановский будет со своими солдатами, всех вас заберут.

Брови игуменьи удивленно изогнулись:

— Что же ты такое говоришь, Анна Кирилловна? Да куда же я уйду отсюда? А потом, за что же нас забирать? Разве инокини на дурное способны?

— За то, что кров царице предоставили. За то, что она здесь со Степаном Глебовым встречалась. Вот за что! Умоляю тебя, матушка, уходи! Уходи к мирянам, пережди грозу, а как все уладится, обратно вернешься.

— Нет на мне вины, — произнесла игуменья упрямо. — А там как господь рассудит.

Во дворе послышались громкие мужские голоса. Им в ответ прозвучал твердый и уверенный женский голос — это препиралась вратница. Поднявшись, Голицына подошла к узенькому окошку. Губы княгини невольно сжались.

— Поздно, матушка, князь Ромодановский уже во дворе.

* * *

В Богоявленский монастырь Ромодановский приехал к самой обедне. Стрельцы спешились и остановились у ворот. Стрелецкий голова уверенно постучал в калитку и громко закричал:

— Отворяй ворота, сестры! Государев сыск!

Калитка отворилась не сразу. Поначалу в глубине двора послышался приглушенный голос и какое-то неясное шевеление. Голова открыл было рот, чтобы повторить требование, как калитка вдруг отворилась, и навстречу нежданным гостям, высоко подняв голову, вышла инокиня, смежив строго черные брови на самой переносице. Это была игуменья Прасковья, известная праведница. Игуменья принадлежала к роду Стрешневых, подвизалась на монашеский подвиг в восемнадцатилетнем возрасте и уже более пятидесяти лет проживала в строгой аскезе. Даже шагнув в старость, она не потеряла гордой княжеской осанки.

— В чем дело? По какому праву?

Кожа у нее была сухая, желтоватая, но даже почтенные лета не могли скрыть ее природной привлекательности. Хотелось опустить глаза да и пасть ниц перед святостью. Удержался князь Ромодановский, отвечал, подбоченившись:

— Волей государя нашего Петра Алексеевича велено провести в монастыре сыск!

За спиной игуменьи, сбившись в пугливую темную стайку, стояли испуганные сестры. Непоколебимой оставалась только игуменья.

— Откуда же такая немилость на нас?

— Это не немилость, мать-игуменья, — строго заметил князь Ромодановский. — Это дело государево! Вот что, инокини, садитесь на подводы и в Преображенский приказ, — сурово распорядился Федор Юрьевич.

— А ты здесь не командуй! — Голос игуменьи покрепчал. Лико ее посуровело, покрылось новыми морщинами, словно кора вдруг растрескалась от ненастья. — Здесь я хозяйка да вот еще господь бог!

— Вот он, род Стрешневых, даже в опале хотят первыми быть, — усмехнулся Ромодановский. — Негоже мне с бабами воевать, — глухо заметил Федор Юрьевич, сразу вспомнив все обиды, нанесенные Стрешневыми роду Ромодановских. — Но волю государя исполню незамедлительно. А потребуется, так я силком вас свяжу и на повозку поленьями уложу!

Князь Ромодановский в сравнении с тщедушной игуменьей выглядел громадным, — ступит шажок и придавит старицу в воротах.

— Вот что, сестры. Подчинимся государевой воле, а там все в руках господа нашего, — произнесла игуменья и направилась к близстоящей вознице.

— Чего загрустили, божьи невесты? — радостно проговорил князь Ромодановский. — Довезем быстро до Москвы, даже не заметите. А то кони застоялись. А ты, игуменья, — остановил Федор Юрьевич старицу громким окриком, — со мной в одной карете поедешь. Иначе не почетно будет!

— С сестрами я, — горделиво дернулся острый подбородок.

— А это еще кто в мирском платье? — разглядел Ромодановский высокую женщину, стоящую поодаль.

Приподняв горделиво голову, женщина произнесла:

— Ближняя боярыня Анна Кирилловна Голицына.

Губы Ромодановского разошлись в зловещей ухмылке:

— Вот бы с кем хотелось переговорить...

* * *

Такого зрелища Преображенский приказ еще не видывал. Все арестантские комнаты были забиты богомольными старицами, и шесть раз на дню помещение приказа оглашалось песнопениями.

На дознании инокини держались крепко и, потупив глаза в пол, уверенно вторили о том, что государыня в монастырь заезжала ненадолго, когда посещала святые места. А из мужчин с ней следовали только стрельцы, приставленные для охраны. Далее изгороди ходить им было не велено, караул несли вдоль ограды, а потому осквернить монастырский двор они не могли.

Крест на правду целовать не стали, называя происходящее богохульством. А игуменья и вовсе отказалась отвечать на вопросы.

Строптивиц следовало пытать, ожидая, что под кнутом они поведают правду. Первой, с кем повел беседу князь Ромодановский, была ближняя боярыня Анна Голицына. Благообразный облик и мягкий голос вводили в заблуждение всякого, кто ее лицезрел. В действительности ее душа была соткана из прочных материалов. На каждую угрозу она отвечала смиренным голосом, потупив взгляд в пол: «На все воля божья!» Кажущаяся покорность вводила в смущение даже заплечных дел мастеров, повидавших на своем веку всякое. И пыточная, с дыбой, установленной в самом центре, не поколебала твердости Голицыной. С такой можно содрать кожу, а она все будет повторять как блаженная: «Все едино, господи, на все твоя воля».

Внимательно присмотревшись к монахиням, князь выделил среди них шестнадцатилетнюю Анастасию, с огромными, в половину лица, глазищами. В монастыре она оказалась по воле случая. Ее отец, князь Иван Репнин, замаливая какой-то тайный грех, определил свою младшую в монастырь, где ей предстояло состариться. Оторванная от девичьих хороводов, Анастасия не была готова к тому, чтобы похоронить плоть за монастырскими воротами. Если Анна Кирилловна являлась кремнем, о который ломались даже зубила, то молодая Анастасия виделась князю всего-то расплавленным воском, из которого можно было лепить любую форму.

— Матвей! — громко позвал князь заплечных дел мастера.

— Да, батюшка, — расторопно подскочил палач.

Федор Юрьевич недобро посмотрел на него. Скривил губы и произнес хмуро:

— Рожа что-то у тебя больно опухла. С перепоя, поди?

— С перепоя, батюшка, — легко повинился палач. — Как проснулся за полночь, так и уснуть не мог. Вот все брагой и лечился.

— Уснуть, говоришь, не мог, — сердито уточнил боярин. — Уж не людишки ли тебе снятся, Матвей, коих ты со света изжил?

— Бывает, и снятся, боярин, — не стал лукавить палач, тяжело вздохнув.

— Эх, слаб ты стал, Матвей. Жалости в тебе лишней накопилось, — покачал головой Федор Юрьевич. — Может, тебе того?.. Иным делом заняться. Хочешь, я тебя отпущу?

Глаза палача от перепуга расширились, рот перекосило.

— Чем же я тебя прогневал, батюшка? — взмолился палач. — Да если ты желаешь, так... совсем от зелья откажусь!

— Ишь как разговорился! Это ты верно, Матвей, подметил. Кнутом махать будет получше, чем среди кандальников долю нести. Ладно, ты рожу-то не криви, — добродушно пожурил любимца князь Ромодановский. — Я тебя когда-то из кандальников вытащил, я тебя туда снова и определить могу! Хе-хе-хе! Каково тебе будет, когда они узнают, что из одной плошки с палачом почивали?

— Государь Федор Юрьевич, не сгуби! — взмолился палач, плюхнувшись в ноги.

— Пошутил я, — смилостивился князь. — Только на меня не дыши, а то таким зловонием тянет, что не приведи господи! С монахинями беседовал?

— А то как же? — почти обиженно протянул палач. — С каждой по отдельности.

— И что они молвят?

Князь Ромодановский сидел за огромным дубовым столом, таким же крепким и неказистым, как и он сам. Со стороны могло показаться, что будто бы их творила одна и та же рука, небрежно, без особой вычурности, но зато одинаково прочно. В центре стола, наполовину свернувшись в трубку, лежали две грамоты от Петра. Край одной из них был чемто залит, и расплывчатые неровные разводы заползали на подпись. На другой отчетливо обозначился круг с жирными пятнами, наверняка князь Ромодановский ставил на нее тарелку со щами.

— Говорят, что не ведают. И злого умысла никакого не было.

— Анастасию спрашивал?

— А то как же! Прежде других. И она с ними заодно. Зенки в пол упрет и только одно твердит: «Не ведаю, не знаю».

— Приведи ко мне Анастасию, сам дознаюсь!

Через несколько минут в сопровождении верзилы-палача в комнату вошла невысокая хрупкая молоденькая монашка. Поприветствовала присутствующих глубоким поклоном и, уставившись в пол, затихла.

— Как тебя звать, инокиня?

— Сестра Анастасия.

Голос у монашенки оказался на удивление чистым и звонким, как весенняя капель. Таким только на клиросе петь.

— Знаешь, зачем ты здесь?

— А то как же! Мы с сестрами только о том и говорим.

Анастасия подняла на судью серые с зелеными подпалинками глаза. «А хороша, чертовка. Такую девку из спаленки не выпускать, а она в куколь обрядилась, — невольно подумал князь, заглядевшись на ее светлый лик. И тотчас испугался собственных грешных мыслей: — Прости, господи, за богохульство!»

Размяк Ромодановский плавленым куском парафина и, припустив в голос елея, заговорил:

— И никто, стало быть, из них не видел окольничего Степана Глебова?

Хрупкие плечики слегка дернулись:

— Царевна на богомолье не одна ходит, ее всегда боярыни с боярышнями сопровождают. Может, и был среди них окольничий, а только я его не видела.

— А ведь нам ведомо, сестра, что окольничий Глебов к государыне заявлялся, когда она по святым местам разъезжала. — В девичьих глаза плеснулся трепет. — А потом подолгу у нее в келье оставался. Вот ты мне и скажи, какие непристойные слова говорились?

— Не было ничего срамного, государь, — отшатнулась Анастасия.

— Эх, — вздохнул печально князь, — красивая ты девка, а только не бережешь себя. Придется тогда из тебя правду кнутом вырывать. Ну чего стоишь, дылда стоеросовая! — прикрикнул боярин на

Матвея. — Стягивай с девки рясу! Да привяжи ее к лавке покрепче, чтобы не дергалась.

Палач шагнул к Анастасии, навис над ее дрожащим телом глыбой и негромко проговорил, будто бы милости выпрашивал:

— К лавке ступай, сестра, там тебе сподручнее будет.

Анастасия робко придвинулась к скамейке и легка на нее животом, обхватив руками.

— Привяжи ее! — скомандовал Ромодановский. — Так-то оно сподручнее будет.

Матвей привычно перетянул вытянутые руки монахини, так же расторопно прихватил у самых лодыжек ноги. Помешкав малость, задрал к голове рясу. Тяжелая рука как бы нечаянно скользнула по белому стану монахини, коснулась бедер.

— Эй! Ты там не балуй! — предостерегающе погрозил пальцем Федор Юрьевич. — Мы, чай, не охальники какие, а слуги государевы! — Потом печально вздохнул: — Не хотелось бы такую красоту портить, да что поделаешь? Хватит на телеса-то пялиться! — прикрикнул судья на палача. — Кнут возьми, да в рассоле не забудь его подержать.

— А то как же! — Заплечных дел мастер опустил в кадку с капустным рассолом кнут. — Так оно справнее будет.

Стряхнув его от влаги, палач примерился к обнаженному девичьему телу и на выдохе ударил поперек спины, оставив широкую багровую полосу. Анастасия дернулась, будто бы раненая, издав при этом отчаянный крик.

— Еще раз спрашиваю тебя, сестра, — по-отечески наставительным голосом произнес князь Ромодановский, — бывал ли окольничий Глебов у государыни?

— Не ведаю! — в отчаянии воскликнула монахиня, вцепившись в ожидании удара в края лавки.

— Ну что ты с ней поделаешь? — вздохнул Федор Юрьевич. — Работа у нас паскудная, да кому-то и ее надо исполнять. Дай нерадивой с пяток ударов, а там поглядим.

Гибкий плетеный кнут легко подлетал к самому потолку, опускался с трехаршинной высоты на спины монахини. Из рассеченной кожи брызнула кровь. Инокиня закричала, пыталась вырваться, но путы надежно стягивали ее хрупкое тельце.

— Не балуй! — ласково увещевал ее князь Ромодановский. — Коли к нам попала, так теперь никуда не вырвешься. На то мы государем приставлены, чтобы за порядком следить. Так вспомнила, девонька?

Анастасия запричитала в голос:

— Чем же таким я вам не мила?

Князь захихикал, отчего его толстые щеки пришли в движение:

— Мне-то ты мила. А вот только я правду от кривды отличить должен! Уразумела? Еще с пяток раз пройдется кнут по твоей спине, и одни только лохмотья от кожи останутся. Не жалеешь ты себя. Ну-ка, Матвей, дай аж с десяток горяченьких. Если упорствовать станет, так добавишь ей еще дюжину.

— Федор Юрьевич, как бы до смерти девку не запороть...

— А тебе-то чего от этого? Не перечь, болван!

Кнут высоко взметнулся вверх, зацепив хвостами потолок, и завис на мгновение, выбирая место для удара.

— Постойте! — вскричала в ужасе Анастасия. — Все скажу!

— Вот так давно бы, девонька, — примирительно произнес князь. — Ты думаешь, нам в радость, что ли, такую красу терзать? Матвей, развяжи инокиню. Да не пялься ты на телеса! — в сердцах прикрикнул Ромодановский. — Как-никак сестра божья. Наготу поначалу прикрой, а потом руки отвязывай.

Матвей прикрыл голую спину монахини рясой и проворно, работая всеми пальцами, принялся распутывать на запястьях веревки. Инокиня присела на лавку и посмотрела на князя потухшим взором.

— Так что ты знаешь, Анастасия?

Всхлипнула монахиня, утерла ладошкой проступившие слезы и отвечала, уперев взгляд в пол:

— Заявлялся окольничий. Сначала вором к государыне пробирался, а опосля в открытую приходил.

— Когда он вором являлся? — Повернувшись к подьячему, тихо дремавшему в самом углу избы при зажженной лучине, прикрикнул зло: — Назар! Олух, царя небесного! Слово не пропусти, все записывай, а то тебя вместо инокини разложу!

Маршавин сдунул со стола гусиную стружку и уверил клятвенно, широко распахнув заспанные зеницы:

— Все как есть запишу, князь, ни слова не пропущу!

— В котором часу окольничий заявился? — Ромодановский уставился немигающим взором на монахиню.

— Ночь на дворе была. Сестры уже по кельям разошлись.

— Когда же он уходил?

— Под самое утро.

— Как миловались, лицезрела?

Девичьи щеки залила густая краска смущения.

— Зрела, боярин.

— Когда это было?

— На третий день пребывания царевны. Окольничего государыня встречать вышла. Он ее за обе руки взял, а потом в уста лобзал.

— Кто еще из монахинь видел, как царевна с окольничим миловались? — сурово вопрошал судья.

— Сестры Агафья и Екатерина.

— Еще что-нибудь можешь сказать?

Голова инокини отрицательно качнулась:

— Больше ничего не видела, князь.

— Грамоте обучена?

— Обучена, князь.

— На вот тебе, — взял Федор Юрьевич у подьячего исписанную бумагу, — прочитай. А потом подпись поставь.

Робко взяв протянутую грамоту, прочитала и, подняв ясные глаза на Ромодановского, молвила:

— Так и было, князь.

— Подпись ставь, дуреха, — ласково промолвил князь, — чего мне твои словеса!

Макнув гусиное перо в чернильницу, Анастасия старательно вывела свое имя.

— Вот и славно. А теперь ступай!

— Куда ее, Федор Юрьевич? В темницу? — встрял палач.

— Ну не дурья ли башка! — возмущенно протянул князь. — Пусть в монастырь топает да бога благодарит, что так отделалась. Вот что, Матвей, приведи мне монахинь. Екатерину и Агафью. Хочу с ними потолковать. Что-то мне подсказывает, что разговор с ними может быть непростым.

Еще через полчаса Матвей привел двух инокинь. Каждой из них было не более тридцати пяти годков. Однако много лет они провели в обители и, кроме монастырского устава, мало что ведали. В их безмятежных взглядах отмечалась покорность и твердость одновременно. Весьма непростой сплав, какой не часто можно повстречать у мирского люда.

— Являлся ли окольничий Глебов в ваш монастырь?

— Не ведаю, — отвечала старшая из сестер Агафья.

— Не знаю про то, — вторила ей Екатерина.

— Вот вы, стало быть, как, — с сожалением заметил князь. — А ведь сестра Анастасия во всем призналась и свою подпись поставила на дознании, уличающей окольничего. Взглянуть желаете?

— Надобности в этом нет, — проговорила Агафья, помрачнев. — Бес ее попутал!

Голова князя склонилась к груди, отчего его полнота выглядела почти уродливой — кожа на щеках оттянулась, а под подбородком шея собралась в многочисленные жировые складки. Вздохнув, Ромодановский скорбно молвил:

— Эх, старицы! Хотел я вам помочь, да вы меня не слушаетесь. По слову и делу государеву я ваш весь хлипкий род повыведу! — стукнул Федор Юрьевич кулаком по столу, заставил насторожиться серого кота, отиравшегося подле его ног. — Вот что, Матвей, давай подвесь сестру Агафью на дыбе и не снимай ее до тех самых пор, пока она правдой не разродится!

Лицо монахини оставалось безмятежным. В глазах — обыденная кротость. Она слегка наклонилась и произнесла безучастно:

— Воля твоя, князь.

Матвей подвел монахиню к дыбе.

— Не страшно, сестра?

— Значит, такова воля господа, — все с той же смиренностью отвечала инокиня.

— А меня вот жуть берет, когда представлю, что мои рученьки начнут трещать, — честно признался палач. — Да чего уж теперь!

Повернув старицу, крепким жгутом он стянул за ее спиной руки и, коротко помолясь, зацепил узел на крюк. Осталось только потянуть верх.

— Постой, Матвей! — неожиданно произнес князь Ромодановский. — Такую бабу болью не прошибешь! Нас она за антихристов принимает. Чего доброго, возомнит, что за веру страдает. Агафья, я вот у тебя спросить хочу.

— Спрашивай, князь.

— Чего это ты вдруг в монашки подалась? Такую бабу, как ты, любой отрок замуж бы взял. И лицом удалась, и фигура при тебе. Даже монашеская ряса твои пышные телеса не сумела скрыть. — Князь вышел из-за стола, неловко переваливаясь на коротких ножках, подошел к старице и, дыша в ее лицо самогонным перегаром, вопрошал, сузив зеницы: — А может, было в твоей судьбине нечто такое, от чего белый свет не мил стал?

— О чем ты, боярин? — Голос монахини слегка дрогнул.

— А о том дитяте, что ты во грехе прижила! — перешел на шепот князь Ромодановский. — Грех твой на себя девка дворовая взяла, она же и воспитывала твое чадо до пяти лет. А когда девка на покосе надорвалась да сгорела за неделю, тогда отрока твоего пришлось в Макарьевский монастырь определить, где он до сих пор послушником служит.

Треснула незыблемая твердыня, покрывшись многочисленными трещинками — глаза монахини враз повлажнели, а тонкие посеревшие губы едва произнесли:

— Нет...

— Чего же это ты, сестра, перепугалась? — участливо поинтересовался князь, подавшись вперед всем телом. — Хм... Уж не хочешь ли ты меня разуверить? Дескать, померещился отрок. А может, он не тобой прижит? — Инокиня только качала головой, не в силах вымолвить и слово. — Вот за сей грех батюшка твой и отправил тебя в монастырь. Кто же на порченую девку позарится?

— Замолила я свой грех, — глухо отвечала Агафья, с трудом сдерживая рыдания.

— Может, и замолила. А только как теперь поступать?

— Чего тебе надо, князь?

— Ты мне навет на окольничего напиши, а я твоего мальца не трону.

— Не посмеешь, князь! — уже не пряча ненависти, прошипела монахиня. — Род Бутурлиных тебе не простит!

Ухватившись за бока, князь Ромодановский громко рассмеялся, от чего его крупный живот мелко подрагивал. Отсмеявшись, Федор Юрьевич посуровел, вновь превратившись во всесильного судью Преображенского приказа. Между широких бровей залегла глубокая складка, придавая ему еще большую угрюмость.

— Не посмею, говоришь?! Да если мне для дела потребуется, так я весь род Бутурлиных повыведу и ни одного семени не оставлю! А ведомо мне еще и то, что третьего дня ты подъезжала к Макарьевскому монастырю. За ограду заходить не пожелала и отроком своим издалека любовалась. Матвей! — громко крикнул князь, давая понять, что разговор закончен. — Веди мальца! Пусть на отрока своего в последний раз посмотрит. Это ей не из-за забора на него глазеть.

Палач вышел, а Ромодановский сказал, покачав головой:

— Если себя не жалеешь, Агафья, так хоть мальца пощади. Славный отрок растет.

Через минуту под тяжелым шагом палача половица слегка прогнулась, издав тонкий скрип.

— А вот и гости к нам, — ласково проговорил князь, не спеша шагнув к оробевшему отроку.

Отроку было лет двенадцать. Он слегка набычился от неловкости и отступил на шаг назад. Ряса на нем была старая, сшитая из кусков, стопы обуты в сбитые лапти. Тощее тельце перетягивал пояс, концы которого свешивались до самых колен. Он утер обильную влагу, проступившую под носом, и взглянул на приблизившегося Ромодановского.

— Куда же ты нашего гостя определил? — поинтересовался князь у палача.

— В сторожке у меня сидит, — заулыбался Матвей. — Я ему глиняных болванов смастерил. Играет.

— Во что ты играешь, малец? — Ромодановский краем глаза посмотрел на монахиню — закусив губу, та едва удерживала слезы.

— В колодников и палачей, — уверенно ответил отрок. — Дядя Матвей мне дыбу состругал, вот я на нее татей и подвешиваю.

Губы боярина разлепились в добродушной улыбке — знает палач, чем мальца вразумить.

— Какой толковый помощник у тебя подрастает, Матвей, — довольно произнес князь. — Глядишь, годков через восемь он тебя совсем заменит. Не придется мне тогда заплечных дел мастеров среди грабителей подыскивать. Как кличут тебя, малый?

— Василий.

— По душе тебе в Преображенском приказе?

— По душе, боярин. Мне Матвей гречневую кашу с мясом давал. Давно так сытно не едал.

— Вот когда у нас служить станешь, так каждый день мясо будешь получать. А еще государь шубой тебя за старания пожалует. — Показав на соболиную шубу, лежавшую в самом углу, князь спросил: — Нравится тебе она?

— А то как же не нравится! Тепло в ней! Я игумена все прошу, чтобы мне зимнюю рясу выдал, а он говорит, что, дескать, не время еще, в летней ходи! — Приподняв полы рясы, отрок пожаловался: — А у меня все ноги в мурашках.

— Справлю я тебе рясу, — пообещал князь. — А теперь ступай, — пухлая рука Федора Юрьевича погладила макушку мальца. — Как подрастешь, так милости прошу к нам.

Ухватив отрока за худенькое плечо, Матвей вывел его из комнаты. Громко хлопнула входная дверь, заставив вздрогнуть Агафью.

— Вот ты нас всех антихристами считаешь, — заговорил Федор Юрьевич, глядя прямо в заплаканное лицо монахини. — А только пройдет время, и твой сынок таким же станет. Не будет для него большего счастья, чем людям руки выкручивать. Ну так чего же ты мне скажешь, сестра? Был окольничий Глебов в монастыре или все-таки не был?

Былая гордыня изошла слезами. Монахиня сжалась и произнесла кротко:

— Не губи мальца, князь. О чем угодно поведаю!

— Вот так-то оно лучше будет, — примирительно произнес Федор Юрьевич. — Эх, Агафья, неужели ты думаешь, что в приказе изверги какие-нибудь служат? Неужели думаешь, что нам в радость людей калечить? Вот ты согласилась, а у меня оттого на душе отлегло. Еще одна божья душа спасена. Назар, опять носом по столу скребешь! — прикрикнул князь на Маршавина. — Пиши давай. Сейчас инокиня Агафья исповедоваться будет.

— Готов я, боярин!

Подьячий вытер кончик пера о сальные волосы. Макнул гусиное перо в глубокую глиняную чернильницу.

— Матушка наша, государыня Евдокия Федоровна ни при чем. Это все аспид-искуситель, окольничий Глебов ее смутил дурными речами. Давеча я стою у своей кельи, а он уже вором в женский монастырь через ограду пробирается. Припер ее к стеночке, сердечную, и поганые слова выговаривает, на грех склоняет.

— А царевна чего?

Смутилась монахиня, но отвечала твердо:

— Называла его соколом да голубем сизокрылым, а себя при нем — голубкой. Говорила, что дождаться не могла, пока свечереет.

— Сколько раз он приезжал?

— Видела его три раза. А когда уходил, так государыня его до самых монастырских ворот провожала.

— При патриархе все это скажешь?

Монахиня только вздохнула:

— Как не сказать...

— Грамоте обучена?

— Знаю, князь.

— Черкни вот здесь, сестра, — пододвинул Ромодановский бумагу.

Тонкие пальцы монахини неуверенно оплели гусиное перо, и заостренный кончик аккуратно вывел закорючку.

— А далее что? — с надеждой спросила инокиня.

— Эх, мягок я, сестра. Мне бы тебя с крысами подержать, чтобы неповадно было в следующий раз правду утаивать. Матвей, проводи нашу гостью до ворот. Пускай к себе в монастырь направляется.

Монахиня продолжала стоять, искусав до красноты губы:

— Сына... не тронешь?

— Не трону, сестра, в монастырь отведу. Ну чего стоишь? — насупился князь. — Топай, пока я не раздумал!

Глава 21

СКАЖИ, ЧТО Я ХВОРАЯ

Евдокия Федоровна предчувствовала, что князь Ромодановский готовит нечто против нее, но что именно, предположить не могла. Молясь целую неделю перед иконами, она надеялась, что лихо пройдет стороной.

Но вот как-то утром дверь в ее покои распахнулась и в комнату, вытаращив глаза, вбежала взволнованная боярышня.

— Матушка, матушка, князь Ромодановский заявился!

— Вот как... Чего он хочет?

— С тобой поговорить.

Слезы Евдокии мгновенно высохли. Лицо погрубело, состарилось. Вскинув горделиво подбородок, она произнесла:

— Скажи ему, что не буду разговаривать... Впрочем, нет, сошлись на то, что хворая я.

Через толстые белила на лице боярышни пробивался крепкий здоровый румянец, так ее украшавший.

— Говорила я ему об этом, государыня, так он меня слушать не желает.

— Что же он тебе ответил?

— Ой, матушка, даже и произнести боязно. Если,

говорит, царевна меня видеть не желает, так я к ней силком заявлюсь.

Евдокия помрачнела. А ведь и заявится, ирод, с него станется.

Покои Евдокии являлись тем местом, где она господствовала безраздельно. Здесь она жаловала и наказывала, любила и привечала. Здесь так же, как и в свите государя, имелись свои баловни и отверженные. Здесь создавались политические «партии», каждая из которых боролась за влияние над государыней. Вот только борьба тут, среди женщин, приобретала более коварный и изощренный характер.

Царевне ближние боярыни нашептывали на соперниц, наговаривали хулу, и она, своей волей, могла наказать неугодную, а то и просто отправить с глаз долой в монастырь.

Здесь ревность и привязанность часто шествовали рука об руку, ненависть и любовь были столь тесно переплетены, что их невозможно отделить друг от друга. Каждая из боярынь и мамок готова была на предательство и ложь, чтобы хотя бы на вершок приблизиться к государыне.

И вот сейчас владения Евдокии могли быть уничтожены главой Преображенского приказа...

— Хорошо, скажи ему, что я сейчас выйду, — не без усилия выдавила государыня. — И пусть в покоях не шибко отирается, у меня там парча да шелк. Накидку мне соболиную! — пожелала царевна. — Не пристало мне перед худородными в простом платье предстать. И пусть боярыни с мамками меня под руки держат!

К Федору Ромодановскому государыня вышла в сопровождении двух дюжин мамок и боярынь, ко-

торые, выстроившись вереницей по обе стороны от
царевны, поддерживали ее под локоток. Боярышни,
склонив в покорности головы, двигались следом.
Обступив Ромодановского, застывшего у порога
скалой и закрывавшего выход, они обескураженно
взглянули на государыню. В прежние время Евдокии Федоровне достаточно было лишь рассерженно
свести брови к переносице, чтобы сокрушить любую твердь, а тут как не хмурилась государыня, а
князь только в усы усмехался.

— Мне с тобой, Евдокия Федоровна, переговорить надобно, — негромко произнес он.

С правой стороны руку царевны поддерживала
Лукерья Черкасская — некрасивая боярыня с поби-
тым оспой лицом, а с левой, так же бережно, держала царевнин локоток боярыня Василиса Нарыш-
кина. За ними стояли боярыни чином поменьше.

— А ну пошла отсюда! — Ромодановский пнул
носком сапога карлицу, топтавшуюся у его ног; от-
скочив, она в страхе посмотрела на главу Преображенского приказа. — Поразвелось! Еще раз поя-
вишься, зашибу! Поговорить бы, государыня...

— Чтобы я наедине с мужчиной осталась? —
удивленно вскинула брови Евдокия. — Что тогда
обо мне думать будут?

Князь недобро хмыкнул:

— Уж мне бы ты не говорила, государыня, ведаю я! Ну что ж, коли не желаешь, тогда при челяди
беседовать будем.

За спиной князя сгрудилась дюжина солдат
Преображенского полка. В диковинку им было пре-
бывать во дворце. По вытянутым лицам становилось понятно, что хотелось им пройти внутрь, но

воле Ромодановского перечить они не смели. Нынче князь — главный на Руси. Так что и стояли дурнями посередине комнаты.

— Говори!

— А не пожалеешь, государыня? Дело-то особое.

— Это как богу будет угодно.

Боярыни под строгим взглядом князя Ромодановского наклонились еще ниже. Не слышать бы да не видеть ничего, но не бросишь же царевну!

— Я тут твоих монахинь порасспрашивал из Богоявленского монастыря, так что не обессудь, государыня...

— Полно тебе, князь. Говори, зачем пришел.

— Так они в один голос поведали о том, что грех на тебе имеется, матушка...

Ромодановский выдержал паузу. Не дрогнула государыня, смотрела как прежде прямо, вот только щеки слегка порозовели.

— Ой, как грешна, — закачалась голова князя. — В прелюбодеянии замечена... С окольничим Степаном Глебовым.

— Напраслина это, — холодным тоном отвечала государыня. — Навет пред мужем моим и государем.

— Навет, говоришь, матушка? А только ведь, кроме показаний монахинь, у нас еще кое-что имеется. Письма твои, что ты Глебову писала! Или отрицать будешь? В них ты его называла «мой сердешный друг да радость моя». — Скривившись, добавил: — А в последнем письме приписочку такую сделала, что «целуешь его во все члены». Может, хочешь сказать, что не ты писала это письмо?

С лица государыни сошла кровь.

— А только твою руку челядь признала. И еще Степан Глебов на каждом твоем послании приписывал: «От царевны Евдокии». Может, ты не веришь? Матвей! — громко позвал Ромодановский.

— Я здесь, Федор Юрьевич, — палач протиснулся вперед из-за спин солдат.

— Письма при тебе?

— При мне, князь! Храню их как зеницу ока. Пожалте, Федор Юрьевич, — вытащил он грамоту.

Ромодановский взял эпистолу, бережно развернул.

— Узнаешь свою руку, Евдокия Федоровна? — тряхнул он листком бумаги. — А это еще что за приписки? Хо-хо... Читаю! «Чего же ты, окаянный, государыню-то мучаешь? Она без тебя извелась, так что ей теперь белый свет не мил». Наверняка верная тебе Анна Кирилловна писала... Не мешало бы и ее под кнут уложить. Так чего же ты молчишь, матушка? Может, тебе язык кнутом развязать? Так я Матвея попрошу, подсобит он тебе, он большой мастер в этом деле. Даже если язык в узел стянешь, так он все равно его развяжет.

— Как ты смеешь, холоп, с государыней так разговаривать?! — прошипела Евдокия Федоровна.

— Холоп, говоришь, — ухмыльнулся Федор Юрьевич. — А только на Руси я теперь для всех батюшка. Царем Петром за хозяина поставлен. Так что в моей власти, кого захочу казнить, а кого миловать.

— Матвей! — разошелся князь не на шутку.

— Тут я, Федор Юрьевич!

Огромного роста, с кудлатой нечесаной головой, он едва не упирался макушкой в свод, но в сравнении с князем, гордо выставившим вперед упругое брюхо, выглядел ярмарочным карликом.

— Ивовые розги замочил?

— Замочил, боярин, — охотно откликнулся Матвей. — Три часа в соляной бочке лежали. Ими как махнешь, так кожу тотчас рассечешь, — с затаенным восторгом протянул он. — А ежели понежнее как у боярышни, к примеру, — отыскал он хмурым взглядом девицу, выглянувшую из соседней комнаты, — так язвы посерьезнее будут. С месяц не заживут, а потом еще и рубцы останутся.

— Слыхала, матушка? — с угрозой переспросил судья Преображенского приказа. — А теперь давайте государыню под белые рученьки да в пыточную палату спровадим, пусть отцу Матвею исповедуется, — толстые губы князя неприятно скривились.

Солдаты, стоявшие за спиной Федора Юрьевича, неловко выступили вперед.

— Батюшки свят! — воскликнули боярыни, обступив государыню. — Помрем тут, а цареву не отдадим!

— А ну прочь, юродивые! — прикрикнул Федор Юрьевич. — Коли не желаете, чтобы я вас вместе с государыней высек!

— Что ты хочешь, ирод? — холодно произнесла государыня, с ненавистью глядя на князя.

— Признайся, что согрешила со Степаном Глебовым. А то выпорю!

— Грешна, — с вызовом произнесла царевна. — И что с того? Не ты мне судья! Степан Глебов мил мне. А теперь прочь с дороги!

— Это еще не все, государыня, — торжествующе улыбнулся Федор Юрьевич, поправляя поясок, сползший с крутого брюха. — Ты должна отправиться в монастырь по воле нашего государя и батюшки Петра Алексеевича.

Государыня обожгла горячим взглядом князя Ромодановского и отвечала зло:

— А вот этого не дождешься! Пойди прочь! Боярыни, пойдемте в яблоневый сад.

— Пропустите царевну! — махнул рукой князь Ромодановский и отступил в сторону.

Подняв высоко голову, Евдокия, поддерживаемая боярынями да мамками, гордой павой проплыла сквозь толпу.

Глава 22

РЯЖЕНЫЕ

Выглянув из пролетки, адмирал де Витт наблюдал за пришвартованным сорокатонным двухмачтовым судном, зафрахтованным русским посольством. Покачиваясь на волнах, оно стояло в самом углу причала. Два ялика в носу и в корме удерживали его дополнительными канатами. Судно было пассажирско-почтовым, курсировавшим вдоль берегов Норвежского моря. Оно могло стать легкой добычей пиратов, которые любили заходить в спокойные голландские воды. На баке с подзорной трубой в руках стоял капитан, два матроса короткими швабрами натирали палубу. Трап, выброшенный на берег, терпеливо дожидался гостей.

Наконец появились и они, временные хозяева.

Первым в темно-синем камзоле и в ботфортах со шпорами шел русский царь Петр. Его можно было бы отличить по огромному росту. Возвышаясь над сопровождавшими почти на целую голову, он приковывал к себе взгляды всех присутствующих. Остановившись, царь что-то прокричал стоявшим на борту матросам, а потом уверенно заторопился на судно. Его немногочисленная свита, сгрудившись у трапа, о чем-то некоторое время переговаривалась, а потом, как бы пробуя сходни на крепость, зашагала следом за ним на борт.

Адмирал удовлетворенно хмыкнул. Пьяны! Поговаривают, что без вина русский царь не может прожить даже одного дня.

Взобравшись на палубу, он долго тискал подошедшего капитана, выражая ему свое расположение, а потом, подхваченный под руки двумя дюжими матросами, был препровожден в каюту.

Адмирал довольно улыбнулся. Больше ему нечего было делать на пристани. После того как свита русского царя разместилась в своих каютах, судно направилось к берегам Голландии.

— Пошел! — крикнул де Витт задремавшему кучеру. — Да пошевеливайся!

* * *

— А похож! — довольно протянул Петр Алексеевич. — Где же ты такого детину заполучил?

— На таможенном корабле служил, — отвечал Меншиков, довольный похвалой государя. — Пять золотых талеров посулил.

— А этих ряженых где подобрал? — кивнул Петр Алексеевич на свиту, взбирающуюся по трапу на судно.

— В кабаке отыскались! Чего же огород городить! Каждого выпивкой угостил, а еще по золотому талеру обещал. Они ко мне со всей округи сбежались.

— Глянь-ка на того, — кивнул царь в сторону немолодого верзилы с потрепанными темно-серыми буклями. — На князя Ромодановского похож. Такой же пузатый! Даже усищи у него в точности, как у князя. А вон тот на Лефорта смахивает.

— Так оно и есть, Петр Алексеевич.

— А где же адмирал?

— Вон в той карете затаился, Петр Алексеевич. Кажись, тронулся. Поверил, стало быть.

— Ну что, Алексашка, сходим в кабак? А то у меня от сухоты глотку дерет.

— Так значит, сухопутным путем едем, государь?

Подул пронизывающий ветер, едва не сорвав с головы шляпу. Запахнув полы плаща, царь отвечал:

— Сухопутным. Шли гонца. Пускай коней запрягают.

* * *

Последние десять лет адмирал де Витт ходил на корабле под голландским флагом, что без затруднений позволяло находить прибежище в порту Амстердама. Устав от пиратства в водах океана, он позволял себе лишь редкие вылазки вдоль берегов Франции на небольших суденышках под английским флагом. Не гнушался нападать и на почтовые суда, которые, кроме разного рода документации, могли перевозить деньги и даже золотые слитки.

Подобные шалости позволяли ему в предместьях Амстердама иметь небольшое поместье и дюжину рабочих, которые в исправности содержали многочисленное хозяйство. Не бедствовали и моряки, которым адмирал выделял значительные проценты от награбленного.

Однако старость понемногу отбирала силы, и он уже всерьез стал подумывать о том, чтобы забросить разбойный морской промысел и всецело посвятить себя домочадцам. Право, это высшее удовольствие — сидеть в качалке и попивать прохладное пиво. Тем более что из окон его спальни открывался прекрасный вид на море.

Для себя де Витт решил, что это будет его последним делом. За уничтожение судна с русским царем герцог заплатит столько, что хватит на безбедную жизнь на десятки лет. Но адмирал не рассчитывал жить так долго. Порадоваться бы проказам подрастающих внучек, а там уже можно отправляться на вечный покой.

Никто из матросов даже не догадывался о том, о чем размышлял адмирал. Придется рассказать им об этом после того, как они отправят на прокорм омарам этого диковатого русского царя.

Поначалу де Витт хотел потопить почтовое судно с Петром сразу, как только оно выйдет из порта. Орудийные лафеты на его боевом корабле уже стояли в боевом положении, придвинутые к открытым пушечным портам и нацеленные на приближающуюся цель. Оставалось только взмахнуть рукой, чтобы сорок больших бронзовых пушек, начиненных двадцатичетырехфунтовыми ядрами, разнесли в щепки борт судна. Однако намеченному плану помешало присутствие английского фрегата, находившегося на расстоянии пяти миль. Оставалось поднять паруса и уйти вперед, чтобы подготовить подходящее место для нападения.

Для предстоящей атаки адмирал выбрал небольшую бухточку на острове Тексел, мимо которой проходят интенсивные морские пути. Вместе с тем течение здесь было очень коварным. Не каждый опытный лоцман способен тут разобраться, а потому обломки разбившегося судна близ острова — не редкость. Вряд ли кого-нибудь это насторожит.

После недолгого ожидания в море появилось двухмачтовое судно с прямыми парусами. Взобравшись на бак, де Витт посмотрел в трубу. Не ведая опасности, под десятью парусами оно стремительно приближалось к месту своей гибели.

У самого борта стояло несколько человек, и адмирал без особого труда узнал русского царя, выделявшегося ростом и темным коротким париком. Что-то рассказывая стоявшему рядом человеку, он энергично размахивал руками. Русский царь выглядел точно таким, каким его и описывали.

Через полчаса судно пройдет мимо мысочка. Останется только направить в его сторону жерла пушек...

Даже оставаясь пиратом, не следовало забывать о морском кодексе. Нужно предоставить почтовому судну шанс позаботиться о собственном спасении. Адмирал вытащил изо рта трубку и громко выкрикнул. Казалось, что его голос заглушил порыв ветра и шум плещущихся волн, но де Витт совершенно точно знал, что будет непременно услышан. Тут же команду продублирует первый помощник.

— Приготовиться к бою! Поднять флаг!

Уже через минуту немного ниже корабельного флага вспыхнул ярко-кровавый стяг, сигнализирующий о начале боя.

Адмирал посмотрел в подзорную трубу. На почтовом судне не наблюдалось даже малейшего движения, — вахтенный просто не смотрел в сторону корабля, двигающегося прямо по курсу. Но вот на палубу вышло несколько человек, моряки вдруг замахали руками, показывая на приближающийся фрегат. С излишней поспешностью на палубу выбрался и седобородый капитан. Весь экипаж, видимо, уже осознал всю трагичность происходящего. Беспечным оставался только русский царь, продолжавший что-то втолковывать своему нерадивому собеседнику.

Наконец драматизм ситуации в полной мере оценил и он. В какой-то момент адмиралу показалось, что он встретился с русским царем взглядом и будто даже разглядел в темных очах откровенный страх. Хотя в действительности русский царь мог увидеть лишь развевающийся алый стяг на мачте.

Противник предупрежден. Теперь у него есть возможность спастись бегством.

Матросы расторопно карабкались на мачты, пытаясь расправить паруса, но адмирал понимал, что у судна не хватит времени для разворота. Даже если им удастся расправить все паруса и каким-то чудом уйти сразу от боевого столкновения, вряд ли они сумеют соперничать в скорости с его кораблем.

Судно, преодолевая течение, развернулось, подставляя незащищенный борт под четыре десятка пушечных стволов.

По правую сторону от адмирала стоял первый помощник и терпеливо дожидался команды.

— Пли! — спокойно приказал де Витт, не отрывая взгляда от подзорной трубы.

Его негромкий приказ был тотчас услышан и громогласно продублирован.

— Пли! — не жалея голосовых связок, заорал помощник капитана.

Внутри корабля ухнуло. Видно, так балуются черти в преисподней. Прогремел оглушительный залп. Бронзовые жерла изрыгнули из себя пороховую гарь вместе с тяжелыми ядрами, заставив содрогнуться палубу.

Адмирал увидел, как ядра кучно упали на корму почтового судна, сшибли мачту и сокрушили собравшихся людей. Два ядра разбили борт ниже ватерлинии, и судно стало медленно оседать в воду. Погибель была неминуемой. У экипажа не оставалось даже времени, чтобы спустить ялики. Через каких-то десять минут корабль захлестнет поднимающаяся волна.

Адмирал осмотрел горизонт — свидетелями случившейся трагедии останутся только крикливые бакланы. Но можно быть уверенным, что они вряд ли кому-то обмолвятся о происходящем.

— Мы уходим! — наконец объявил адмирал, собрав трубу.

— Куда? — невольно вырвалось у первого помощника.

— В Амстердам. — Едва сдерживая облегчение,

де Витт добавил: — Надеюсь, что теперь на море я буду смотреть только с берега.

Вспомнив о честолюбивом де Конти, адмирал невольно улыбнулся. Карманы неожиданно потяжелели, как если бы в них уже насыпали причитающееся золото.

* * *

Поправив камзол, барон Христофор Валлин посмотрелся в зеркало. Невольно задержал взгляд на шраме, рассекавшем правый уголок рта, и досадливо поморщился. Шрам барон получил во время драки с голландским матросом, однако такое обстоятельство совершенно не мешало Валлину выдавать это за боевую рану.

Вчера вечером он должен был встретиться с послом Кинэном, который подготовил ему дальнейшие инструкции для его пребывания в России. Но в самый последний момент барон прислал записку, что прибыть не сможет. Валлин не мог бы ответить даже себе, почему он поступил именно таким образом, скорее всего сработала пресловутая интуиция, но он вдруг отчетливо осознал, что им всерьез интересуется Преображенский приказ. А если так, то следовало немедленно покидать Россию, пока не стало слишком поздно — такой человек, как князь Ромодановский, шутить не будет.

Неподалеку от Немецкой слободы Христофор Валлин занимал комнату под вымышленной фамилией, куда наведывался по случаю. Комната была небольшая, но в случае необходимости в ней можно спокойно отсидеться.

Вряд ли кто станет здесь его искать.

Вчера вечером барон собрал вещи, купил в слободе накладную бороду и новый парик. Осталось только переодеться в какую-нибудь неприметную одежду и уходить через черный ход.

Выйдя из дома, Христофор Валлин заторопился по улице. Остановившись, обернулся и увидел, как за ним следует худощавый мужчина, одетый по-европейскому, в длинном плаще и широкополой шляпе. В его облике не было ничего враждебного. Следовало сделать вид, что ничего не происходит. Барон прошел полквартала, но мужчина не отставал. Столь назойливая слежка начинала всерьез досаждать. Теперь он уже не сомневался в том, что это соглядатай князя Ромодановского. Вот только за широкими полями шляпы невозможно рассмотреть лица.

Размышляя, барон незаметно подошел к своему «второму дому» и, не оглядываясь, вошел внутрь. Он прислушался. Похоже, что соглядатай остался на улице. Так даже лучше. Нужно побыстрее переодеться, а потом через крышу выбраться дворами на соседнюю улицу.

Достав из саквояжа бороду, барон Валлин умело приладил ее на подбородок, подумав, наклеил еще и брови. Повертелся перед зеркалом, критически созерцая себя со всех сторон и, убедившись, что грим изменил его лицо до неузнаваемости, остался доволен. Прихватив сумку с одеждой, он направился к двери.

Но тут в дверь неожиданно постучали.

— Кто там?

— Вы задолжали мне за неделю, господин Нильсон. Извольте оплатить!

— Это какая-то ошибка, — запротестовал барон, — я вам заплатил авансом.

— Извольте рассчитаться, иначе я вызову стражу! — Хозяин был настроен очень решительно. Этого еще не хватало!

— Сейчас я вам открою, и давайте выясним недоразумение.

Повернув в замке ключ, барон распахнул дверь, и тотчас в комнату ворвались три человека, одним из которых был тот самый человек в шляпе. Сбив барона Валлина с ног, они запихали ему в рот кляп и умело стянули руки веревкой.

— Я вам нужен, господа? — робко поинтересовался хозяин дома.

— Ступай! — отмахнулся неизвестный в шляпе.

— Мне бы не хотелось докучать вам, но вы обещали мне небольшое вознаграждение.

Недолго порывшись в кармане, человек в шляпе выудил несколько серебряных монет.

— Тебе этого хватит.

— Благодарствую, — энергично закивал хозяин, пятясь к выходу.

Парализованный страхом, барон беспомощно хлопал широко распахнутыми глазами.

— Не позабыл? — спросил незнакомец в широкополой шляпе, обратившись к невысокому молодому человеку в простом кафтане.

— А то как же! — почти обидевшись, отозвался тот.

Только сейчас Валлин заметил, что невысокий держал в руке небольшой чемоданчик. Открыв его, он вытащил небольшую бутылку с какой-то мутноватой жидкостью.

— Кляп вытащи!

Третьим был плотный человек на коротких кривоватых ножках. Его раздувшаяся утроба очень напоминала бочонок с вином. Подкатившись к барону, он живо выдернул кляп, а невысокий, изловчившись, сунул в открытый рот пленника горлышко бутыли. Гортань мгновенно обожгло от крепкой водки, горячая жидкость побежала по пищеводу, без жалости разодрала желудок.

Барон невольно застонал.

— Ткни его, чтобы не дергался, — посоветовал неизвестный в широкополой шляпе.

И коротышка, размахнувшись, ударил его кулаком в живот.

Барон почувствовал, как у него перехватило дыхание. Открыв широко рот, он пытался проглотить хотя бы частичку воздуха, но в горло продолжала течь пьянящая жидкость.

— Кажись, готов, — похвастался невысокий. — Всю выпил.

— Отпусти его, пускай поднимется.

Хватка ослабла. Глаза барона застилал туман, пол слегка закачался, готовый перевернуть его совсем. Единственное, что он мог предпринять, так это опуститься на четвереньки. Голова чудовищно раскалывалась, как если бы ее стянули металлическими обручами. Собрав остатки сил, Христофор Валлин хотел было выкрикнуть проклятие своим мучителям, но вместо гневного ора из груди вырвался слабый хрип.

— Распахни окно, — приказал тот, что был в широкополой шляпе.

Невысокий подскочил к окну, попытался открыть. Но оно не желало поддаваться.

— Егор, рама разбухла, — пожаловался невысокий. — Не совладать.

— Ничего без меня не могут, — зло отозвался долговязый в шляпе.

Отодвинув офицерика, Егор крепко ухватился за ручку, упершись ногой в подоконник. Окно распахнулось, и на пол полетело выдавленное полотно, брызнув во все стороны сверкающими осколками.

Глянув вниз, долговязый в шляпе заключил:

— Высотой в самый раз будет. Ну, чего встали истуканами?! Давай под руки его! Чего доброго еще городская стража нагрянет. Зачем шум поднимать!

Пузатый вместе с невысоким подхватили обессилевшего барона под руки. Валлину хотелось сопротивляться, но вместо этого он едва шевелил руками, пытаясь позвать на помощь. Распухший язык словно запирал все звуки. Его подтащили к самому окну. Сгустившаяся темнота поглотила узкие близлежащие улочки, а луна, затертая тучами, выглядела болезненно-бледной.

— Поднимай его, — подсказал долговязый. — Молись! — обратился он к барону.

Вместо ответа раздался протяжный стон.

— Кажись, понимает. Вон как глазенки вытаращил.

— Это он от страха.

Барон почувствовал, как чьи-то крепкие ладони ухватили его за ноги и принялись выпихивать наружу. Не было сил сопротивляться, оставалось только закрыть глаза. Христофор Валлин смежил очи и, потеряв под собой опору, сорвался вниз.

Глянув в окно, человек в широкополой шляпе довольно хмыкнул.

— Готово!

— А нас не станут искать? — В голосе невысокого послышались едва заметные нотки тревоги.

— Не станут. Хозяин не проговорится. А потом, кому дело до какого-то приезжего бродяги, вывалившегося из окна...

Глава 23

АВГУСТ СИЛЬНЫЙ

Уже не единожды Август слышал о том, что является едва ли не зеркальным отражением русского царя Петра. Огромный, невероятно сильный, воспитанный в аристократичной среде, Август никогда не гнушался мужицких игрищ, и его частенько можно было встретить среди челяди. Наделенный от природы невероятной мощью, за что и его называли Августом Сильным, король неизменно выходил победителем в силовых состязаниях. Особенно преуспел он в кулачном бою и в поднятии тяжестей. Несколько раз ради забавы и для желания повеселить иноземных гостей Август таскал на плечах собственную лошадь.

Столь же неутомимым Август оставался и в любви. Пожалуй, во дворце не оставалось женщины, которую он бы не почтил своим визитом. Отдыхая от политических дел, разъезжал по королевству и через распахнутые окна кареты высматривал красивых девиц. Впоследствии ни одна из них не могла устоять перед могучим обаянием короля. После обеда, устроенного в ее честь, Август неизменно отправлялся с ней в спальню.

Лишь немногие из женщин способны были увлечь Августа более чем на полмесяца. Одна из них была дочерью бедного шляхтича, родившая ему впоследствии двух белокурых сыновей. Другая являлась дочкой мельника. Прожившая с полгода во дворце на правах официальной любовницы короля, она потом прекрасно устроилась. Август выдал ее за влиятельного графа.

Третьей была дочь разорившегося барона, доживавшего дни в полуразрушенном замке. Уже через год барон сумел поправить свои дела и был вхож во дворец, где приобрел немалое влияние.

Поговаривали, что Август имел несчетное количество незаконнорожденных детей, рассеянных по всей Европе. Как-то ради забавы он надумал их посчитать. Сбившись на седьмой сотне, король прекратил это глуповатое занятие и более к нему не возвращался.

Три дня назад французский герцог де Конти прислал письмо, в котором, не без злорадства сообщал о том, что его личный недоброжелатель русский царь Петр кормит рыб в Норвежском море. И вполне прозрачно намекал о том, что гибель произошла не без его личного участия.

Жаль, что у русского царя столь бесталанная кончина. Наверняка у них отыскалось бы немало поводов для разговора.

Король посмотрел на свою новую избранницу Изабеллу, дочь богатого шляхтича. Встав перед зеркалом, она густым гребнем прибирала золотистые волосы. Девушка принадлежала к знатному роду, который всегда подпирал королевский трон. Сейчас же довольствовалась скромной ролью наложницы без всякой надежды на длительность отношений. Причем она не претендовала на что-то большее, не выпрашивала ни замков, ни имений, как поступали прежние фаворитки, а оставалась всего лишь скромной содержанкой.

Глядя на девушку, Август сделал для себя неожиданное открытие: Изабелла просто любила его. Где-то внутри приятно защемило.

Любит...

А ведь девушка не могла не знать о том, что скоро их роман придет к завершению. И самое большее, что король сможет для нее сделать, так это выдать замуж за какого-нибудь именитого вельможу.

В дверь постучали. Король невольно нахмурился. Интересно, кто это посмел его потревожить? Почему-то самые неотложные дела обнаруживаются в тот самый момент, когда он находится в объятиях дамы.

— Войдите, — едва скрывая раздражение, произнес Август.

В спальную комнату вошел камердинер.

— Ваше величество, прибыл гонец от русского царя Петра.

— Как?! Разве Петр не утонул в море?

— Я задал тот же самый вопрос. Гонец сказал: «Всего через несколько часов русский царь будет во дворце, и король Польши сможет лично убедиться в том, что он жив и здоров».

Август громко рассмеялся. Ну конечно же, русский царь должен был остаться в живых. Ведь кто-то должен развлекать Европу!

— Передай гонцу, что я с нетерпением жду встречи со своим русским братом Питером.

* * *

Каждый, кто наблюдал за Лефортом и Петром, невольно поражался их внешнему сходству. Оба высоченные, длиннорукие и длинноногие. Их роднила даже манера одеваться и вести себя в обществе. Одинаковыми были даже усы, — аккуратно постриженные крохотными ножницами. Создавалось впечатление, что оба выскочили из единой утробы с разницей в десяток лет.

Задернув шторы в карете, Петр спросил:

— Мне кажется, что король Август — редкий плут. Тому ли мы помогаем?

— Питер, у нас просто нет другого выбора, — отвечал Лефорт. — Признаю, что он порядочный пройдоха! Конечно, было бы неплохо, если бы у нас был более честный союзник. Но где же его взять?

— Что он за человек?

— Как говорят у вас, русских, себе на уме. Никогда невозможно понять, о чем думает. Говорит одно, а поступает совершенно по-другому. Польский король невероятно хитер. С ним следует держать ухо востро. Но самое главное, что вы нужны друг другу. Именно поэтому с ним можно договориться о союзе против шведского короля. Но держись с ним уверенно, на твоей стороне сила! А еще он тебя побаивается. Если хочешь, я могу присутствовать при беседе.

— Не надо, я буду разговаривать с ним наедине. У меня к тебе будет просьба, Франц.

— Если царь о чем-то просит, то это воспринимается как приказ, — улыбнулся Лефорт. — Так о чем ты хотел меня просить, Питер?

— Я знаю, что Луиза прибыла в Варшаву.

— Откуда ты знаешь? — подивился Лефорт.

— Утром через посыльного она передала мне письмо. Правда, не назвала адреса, где остановилась. Мало ей того, что я разъезжаю за ней по всей Европе! Хочет, чтобы я поискал ее еще и в городе. Найди ее, мне бы хотелось ее увидеть!

Лефорт осуждающе покачал головой:

— Питер, ты неисправим! Тебе давно пора ее забыть. Посмотри, сколько вокруг красивых женщин! А потом,ты должен оберегать свое инкогнито. Ты же не хуже меня знаешь, что за тобой охотятся. Софья только того и ждет, чтобы ты сложил свою голову где-нибудь на чужбине.

— Возможно, завтра я и поступлю благоразумно, но только не сегодня.

— Хорошо. Сделаю все, что смогу.

— И если она действительно находится в городе, как пишет, то обязательно приведи ее ко мне!

* * *

Польский король встречал Петра Михайлова у входа во дворец. Глядя на офицера в недорогом обмундировании, свита невольно удивлялась столь радушному приему со стороны короля. Даже министров Пруссии и Швеции Август II встречал в тронном зале с надменным видом, а тут так радовался простому офицеру, одетому в обычный камзол, как если бы от него зависело благополучие Саксонии и Польши.

Обняв гостя за плечи, Август повел Петра во дворец.

Глава 24

ЧТО СЛУЧИЛОСЬ, ВИКОНТ?

Принц де Конти хотел сполна насладиться своей победой над русским царем Петром. Лучше места для предстоящего торжества, чем замок Шамбор, трудно даже придумать. Если долину Луары можно назвать свадебным платьем Франции, то Шамбор по праву можно именовать элегантной брошью на этом платье. Кроме хорошего вина, которого в подвалах замка можно отыскать в изобилии, в окрестностях замка водилась еще и масса всякого зверья, так что его ожидала великолепная охота.

Принц де Конти невольно улыбнулся, подумав о грядущем развлечении.

Осень в этих краях великолепна для предстоящего отдыха. Воздух необычайно прозрачен и свеж, а окружающий пейзаж ласкает взгляд мягкостью красок...

Величественный и невероятно огромный, что было заметно даже с большого расстояния, замок отражал в реке Луаре островерхие крыши с фонариками и каминными трубами, которые можно сравнить разве что с прической женщины, замысловато растрепавшейся на ветру, но не потерявшей оттого прежнего изящества.

Трудно было поверить, что Франциск I, создавший с помощью гения Леонардо да Винчи этот ар-

хитектурный шедевр за все время своего двадцати-
летнего правления, не пробыл в нем и более двух
месяцев. А ведь он не мог не любить этот замок и
всегда искал новые источники дохода, чтобы наконец завершить строительство. Порой создавалось
впечатление, что к этому замку король был привя-
зан даже больше, чем к собственной семье. Об этом
говорит тот факт, что, отыскав средства на строительство замка, он так и не сумел собрать денег испанскому королю за двух своих сыновей, которых
тот держал у себя в качестве заложников.

В замок принц приехал в сопровождении большой свиты, в которой была графиня Анна Блуа, его
давняя фаворитка. Посмотрев на графиню, уверенно гарцующую на пегой кобыле, он не сомневался в
том, что ему будет чем заняться в свободное время.
Ей перевалило за тридцать лет, по традициям двора
она уже была далеко не первой свежести, однако
возраст никак не сказывался на ее внешности. Графиня имела необыкновенно прямую осанку, какая
может быть только у профессиональных танцов-
щиц, а кроме того, необычайно белую и эластич-
ную кожу, какую не часто встретишь даже у мла-
денца.

Поговаривали, что секрет ее молодости заклю-
чался в том, что графиня Блуа ежедневно принимала ванну из парного ослиного молока. Но принц де
Конти как никто другой знал, что все здесь гораздо
прозаичней: она ежедневно совершала пешие прогулки по саду, которые благотворно влияли на ее
внешность, а для поддержания осанки предпочитала
ездить верхом на лошади. И чтобы сохранить све-
жесть кожи, всегда умывалась родниковой водой.

В постели принца де Конти побывали и совсем

юные девицы, которые поражали его своей непосредственностью, красотой, но ни одна из них не могла сравниться в очаровании с графиней Блуа. Ее мягкий грудной голос, необыкновенная улыбка, природное кокетство пленяли воображение даже самого искушенного любовника. Ее муж, престарелый граф Жан-Жак Блуа, не мог не догадываться о том, что его жена давно стала предметом страсти принца, но у де Конти складывалось впечатление, что подобное обстоятельство его вполне устраивало.

Видно почувствовав интерес к себе со стороны принца, графиня обернулась и, поймав его плутоватый взгляд, весело улыбнулась. Пришпорив коня, принц де Конти поравнялся с графиней. Их лошади, едва не касаясь друг друга, энергично проскакали по каменному мосту, горделиво покачивая изящными длинными шеями. Следом за ними, слегка постукивая рессорами, прокатилась тяжелая карета.

Далее наезженная колея уводила к распахнутым воротам замка. Принц шумно втянул воздух.

— Боже, как благоухает ваша кожа, графиня. Вы меня просто сводите с ума, — вполне искренне произнес принц. — Я могу не совладать с собой и заключить вас прилюдно в свои объятия.

На щеках графини заалел румянец смущения:

— Ваша светлость, вы нетерпеливы, как молодой паж. Я даже не знаю, что вам ответить.

— А вы не отвечайте, графиня, вы только слушайте. Мне доставляет неслыханное удовольствие наблюдать за вами, наслаждаться вашей красотой.

— О Франсуа! Нас могут услышать.

— Графиня, не судите меня строго. Вы же знаете, что благодатный воздух замка Шамбор всегда действует на меня очень возбуждающе.

Принца де Конти встретил недоуменный взгляд.

— Ваша светлость, я же все-таки замужняя женщина. Что подумают обо мне в свете?

Настроение у принца было приподнятое, приятно было осознавать, что русский царь Петр уже кормит на морском дне рыб. Неплохо расправиться подобным образом со всеми своими обидчиками. Пожалуй, что на очереди будет польский король Август! На этот раз с местью не стоит торопиться. Нужно придумать что-нибудь оригинальное.

Принц в сопровождении своей немногочисленной свиты подъехал к центральной лестнице, устроенной в виде двойной спирали, самый верх которой был увенчан фонарем. Лестница поднималась на все этажи до самой крыши, и с верхней площадки можно было обозревать окрестности замка.

Спешившись, принц подал своей спутнице руку. Сопровождающие предусмотрительно отвернулись, когда графиня, сходя с лошади, оказалась в объятиях Франсуа де Конти.

Принц и графиня, о чем-то переговариваясь между собой, поднялись по винтовой лестнице. Его комнаты располагались в северо-восточном углу, рядом с апартаментами короля. Кроме того, здесь имелись дополнительно еще два помещения: вытянутый зал с огромными окнами, расположенными в ряд, где принц обычно принимал гостей, и другое, в которое можно было подняться по лестнице, устроенной специально для тайных визитов. Не требовалось проходить через весь дворец по коридорам. Достаточно было иметь разрешение от принца, чтобы миновать стражу и неузнанным подняться в его покои.

На самом верху размещалась терраса, с которой

просматривалась взметнувшаяся в небо крыша, на которой находился фонарь. Он был так высок, что, казалось, протыкал небо. Тяжелый купол фонаря поддерживали выступающие арки.

Принц имел обыкновение останавливаться здесь, чтобы как следует насладиться видом взметнувшихся вверх орнаментированных колонн, фронтонами, узорами из кровельного сланца.

— Право, более я нигде не видел такой гармонии, как здесь. Вы не находите, Анна, что в окрестностях замка даже воздух какой-то другой?

— Я согласна с вами, Франсуа. Меня только удивляет, почему здесь так редко бывает король. Кажется, в замке Шамбор он был всего лишь пять раз.

— Нет, — мягко возразил принц, — на прошлой неделе он как раз побывал в замке. Это его пятое посещение.

— Ах, вот как! Я об этом даже и не знала.

Вода в Луаре была спокойной. Поднявшийся ветерок потревожил зеркальную гладь, отогнав к берегу просыпанную на воду листву, и утих далеко в траве, пригнув ее до самой земли.

— Вы не находите, Анна, что бог по-особенному благоволит к Франции, наградив ее океаническим побережьем, альпийскими лугами, такими долинами, как Луара? — произнес принц. — Нигде более в мире не встретить подобной красоты.

— Я с вами полностью согласна, Франсуа, — опять произнесла графиня, коснувшись принца плечом.

— Давайте я вас провожу до вашей комнаты. Я очень надеюсь увидеть вас на ужине. — Учтиво улыбнувшись, принц добавил: — Надеюсь, вы мне не откажете в этой любезности?

Взяв графиню под локоток, принц провел ее освещенным коридором в сторону комнаты для гостей. Король Людовик XIV как-то обмолвился о том, что во дворце около четырехсот комнат, и ему порой требуется время, чтобы отыскать собственные покои. Смеясь, он рассказал о том, что как-то случайно перепутал собственную спальню с комнатой прислуги, где оказанный ему прием был столь хорош, что он задержался там на целых три дня. А слуги, сбившись с ног, все это время не могли найти пропавшего короля!

Замок Шамбор был не только великолепен, но и огромен, так что рассказанная история вполне походила на правду.

Коридоры были хорошо освещены, и мерцающий свет падал на порозовевшие щеки графини. Как бы невзначай женщина притронулась к рукаву принца, явно не желая расставаться. В какой-то момент де Конти почувствовал невероятный прилив желания.

— Анна, я являюсь к вам непременно, — обещал принц.

— Я буду ждать, Франсуа, — проговорила женщина и, открыв дверь, удалилась в комнату, унося с собой аромат духов.

Принц едва успел расположиться в своих покоях, как в его комнату постучали. Стук раздался из-за потайной двери, которая уходила во двор. Об этой особенности знали только самые доверенные лица.

Нахмурившись от дурного предчувствия, принц де Конти открыл дверь и увидел виконта Пепана.

— Что случилось, виконт?

— Ваше высочество, я только что вернулся из Нидерландов. Русский царь жив.

Принц даже не сразу нашелся, что ответить. Его лицо, еще минуту назад излучавшее самодовольство, потускнело, как если бы он состарился на десяток лет.

— Может, произошла ошибка? Адмирал мне прислал письмо, в котором заверял, что русский царь утонул в море, — наконец вымолвил принц.

— Ошибки быть не может, Франсуа, — сочувственно покачал головой виконт. — Я сам видел его на улицах Амстердама.

— Значит, адмирал... соврал?

— Не думаю, что он хотел обмануть вас, ваше высочество. Видно, он сам уверен, что потопил русского царя.

— Теперь я понимаю... Кажется, он просил моего покровительства от английского короля?

— Именно так, ваше высочество. Он хотел закончить свой век где-нибудь в долине Луары.

Губы принца тронула злая улыбка. У него отпало желание оставаться в замке Шамбор.

— Я предоставлю ему такую возможность. Виконт, вы знаете, что нужно делать?

— Да, ваше высочество.

— Вот и отлично. Приступайте!

* * *

Две недели назад адмирал де Витт вывез свои сбережения в Париж. На берегу Атлантического океана он уже купил неплохой дом, в котором предполагал разместить все свое многочисленное семейство вместе с внуками. Оставалась небольшая формальность — пересечь границу с Францией и оказаться под покровительством принца де Конти.

А там весь остаток жизни он будет смотреть на оке-
ан, принесший ему богатства, славу и огорчения,
вспоминать друзей, которые канули на морском дне
или закончили свою жизнь на рее. Правда, радости
море принесло больше, чем огорчений: он много
плавал и много чего повидал. Благодаря покрови-
тельству небесного ангела, он сумел дожить почти
до старости, сделался голландским адмиралом, не
погиб в морских сражениях, не был даже ранен, как
многие из его приятелей, обрел семью и дождался
внуков. А ведь большинство его друзей так и не об-
рело подобного счастья. Когда внуки подрастут, то
он, сидя в качалке, будет рассказывать им о морских сражениях, в которых ему посчастливилось
участвовать и даже одерживать победы.

Адмирал счастливо улыбнулся — так оно и будет!

Возможно, де Витт остался бы в Голландии,
чтобы дожить остаток дней в своем любимом Амстердаме. Но, оставаясь пиратом в душе, не упускал
случая, чтобы пограбить богатые английские суда.
Высшая английская знать и купцы требовали от короля защищать ее богатства и не оставлять безнака-
занным ни одно из злодеяний пиратов, так что
Вильгельм III не упустит случая, чтобы продемонстрировать свое отношение к разбойникам. Поэтому жить в Нидерландах было просто опасно.

Колеса кареты жестко подпрыгивали на коч-
ках — де Витт невольно улыбнулся, чем-то подобная езда напоминала ему легкую качку на море. До
таможни оставалось всего лишь несколько кило-
метров.

Сразу после того, как он устроится на новом
месте, то вызовет престарелую супругу, по которой успел изрядно соскучиться, а уж там подтянутся и дети.

За окном мерно проплывали сельские строения. Вдали показалась огромная мельница с вращающимися крыльями. Чем-то она напомнила адмиралу корабль. Далее посредине поля стояла еще одна, правда поменьше. А через километр, вытянувшись в ряд, целая вереница мельниц. Будто бы эскадра, изготовившаяся к бою!

Карета остановилась.

— Господин адмирал, мы подъехали. Граница.

Распахнувшаяся дверца нервно скрипнула на петлицах и, качнувшись, застыла. Адмирал осторожно ступил на землю, как будто бы пробуя ее на прочность.

На мосту перед рекой стоял таможенный пост, который охраняли шестеро солдат во главе с офицером, а на той стороне, где начиналась французская территория, гвардейцы. Один из них был в капитанском камзоле, и адмирал, выйдя из кареты, направился прямо к нему. Де Витту показалось, что он уже видел где-то это лицо.

На губах офицера появилась улыбка, которая очень не понравилась адмиралу.

— Адмирал де Витт?

— Вас что-то смущает?

— Да, господин де Витт... Многое. А главное, то, что вы не выполнили обещание, которое дали принцу де Конти. Я виконт Пепан.

Теперь адмирал вспомнил, что однажды встречал его в свите де Конти, а в замке Шамбор, где состоялся разговор с принцем, случайно столкнулся с виконтом у ворот.

— Вы хотите сказать, что я лжец? — нахмурился де Витт. — Может, вы думаете, что я не стану вызывать вас на дуэль из-за своего преклонного возраста? Выбирайте оружие, виконт, вы нанесли мне оскорбление и ответите за него сполна!

Виконт расхохотался, от чего его заостренная бородка, вскинутая кверху, пришла в движение.

— Я не доставлю вам этой чести, адмирал. Русский царь жив. А с лжецами я поступаю по-другому. Взять его! — приказал он гвардейцам.

— По какому праву? — сбросил с себя крепкую хватку адмирал.

Губы виконта разлепились в недоброй улыбке.

— Это что-то новое. Старый пират заявляет о правах! Вы сполна ответите за свою ложь. Вас ожидает бесславный конец, адмирал. Как пирата мы передадим вас английским властям, которые обвинят вас во многих преступлениях, после чего вас повесят у входа в гавань. А еще ваше бездыханное тело для пущего позора вымажут дегтем и поместят в железный каркас, в котором оно проведет пару лет в назидание другим пиратам. Чего стоите? — прикрикнул виконт на застывших гвардейцев. — Вязать его!

Глава 25

В ДОРОГУ, ГОСПОДА, УМУ-РАЗУМУ УЧИТЬ!

На двух людей, встретившихся около таверны, никто не обратил внимания. Один был горбоносым, высоким, с узкой поседевшей бородкой, при шпаге и в богатом платье, другой же одет в простое поношенное платье, какое обычно предпочитают мастеровые. Нетрудно было догадаться, что делает в этой части города дворянин — за одну серебряную монету можно получить максимум удовольствия.

— Мы нашли его, — произнес тот, который был в простой одежде. — Он расспрашивает у всех, где находится графиня.

— Вы уверены, что это он?

— Абсолютно.

— Как он выглядит?

— Очень высокого роста. Громогласный, с дурными манерами... — принялся перечислять мастеровой.

— Это он! — без колебаний отвечал дворянин. — Надеюсь, вы знаете, что нужно делать?

— Разумеется, не в первый раз.

— Вот и отлично! Как только выполните свое дело, я вам выплачу еще пятнадцать золотых талеров.

Губы толстяка растянулись в довольной улыбке.

— Можете не сомневаться, я сделаю все, что нужно.

* * *

Лефорт был раздражен. Порученное дело оказалось труднее, чем он предполагал. Такая женщина, как графиня, не могла бесследно исчезнуть. Однако он никак не мог ее повстречать. Самое удивительное, что буквально все, у кого он ни спрашивал, говорили ему о том, что видели ее совсем недавно. Даже называли гостиницу, в которой она останавливалась. Но стоило ему только постучаться в номер, как выяснялось, что графиня только что съехала.

Вместо того чтобы пить вино и наслаждаться

всеми проявлениями жизни, ему приходилось разыскивать эту неуловимую женщину.

Следовало встретиться с Питером и посоветовать оставить безнадежные поиски. Ее просто нет в этом городе!

Однако царь продолжал гостить у польского короля, а прибывший посыльный сообщил, что за прошедшее время два государя стали большими приятелями. Во-первых, их объединяло вино, а во-вторых, любовь к женщинам. Вчера вечером они устроили состязание по пальбе из пушек, где царь значительно преуспел, сбив на две мишени больше. Состязание продлилось и вечером в искусстве пития, где Петру Михайловичу не было равных. Царь выпил зараз полведра вина, после чего пригласил польского короля помериться силами. А когда наступила ночь, неугомонный Петр Алексеевич предложил запалить фейерверк собственного изобретения. От первого же залпа сгорели две беседки в королевском саду и двухсотлетний дуб на аллее перед дворцом, от второго было больше грохота, чем огня, но вот с третьего раза заладилось — и разноцветные брызги озарили половину неба.

Далее их шуточное состязание плавно переместилось в спальные покои, в которых они устроили настоящие любовные баталии. Счет познанным за ночь женщинам перевалил за десяток. Поначалу с большим отрывом лидировал Август II, а утром, уже устав, заметно сдал позиции царю Петру, и к обеду следующего дня, подсчитав любовные победы, они вдруг со смехом обнаружили, что к финишу пришли плечо к плечу. В результате любовного марафона Петру Алексеевичу приглянулась фрейлина с красивым именем Агнесса, которую он обещал взять с собой в Москву. Польский король был не против.

Франц Лефорт уже собрался было уходить из своего номера, когда в комнату постучался хозяин гостиницы.

— Господин Лефорт, вас спрашивает какой-то мужчина.

— Чего он хотел?

— Говорит, что хочет с вами переговорить по поводу какой-то одной очень важной для вас дамы.

— Пусть заходит.

Через минуту в комнату вошел невысокого росточка человек с длинными отвислыми усами и большим животом. Каждый пройденный шаг ему давался непросто: выпуклый лоб покрывался испариной, и он без конца сопел, как если бы тащил на собственном горбу тяжеленный груз.

Лефорт узнал гостя. Это был хозяин другой гостиницы, в которой он расспрашивал про графиню.

— У вас есть какие-то новости? — нетерпеливо спросил генерал.

— О да! Женщина, о которой вы расспрашивали, поселилась у меня.

— Едем немедленно! — воскликнул Лефорт, хватая шляпу.

— На улице меня ждет экипаж.

— Отлично, приятель, — весело отвечал Лефорт, дружески хлопнув толстяка по плечу.

— Мне бы не хотелось вам надоедать, но вы обещали вознаграждение, — напомнил толстяк.

Лицо Франца Лефорта болезненно поморщилось. И здесь деньги!

— Я еще не увидел женщину. Вдруг это не она?

— В противном случае вы можете не увидеть ее совсем.

— Ну хорошо, — раздраженно произнес Лефорт. — Сколько я тебе обещал?

— Десять талеров, господин.

— Возьми пока пять, — небрежно швырнул он на стол монеты. — Еще столько же ты получишь, когда я увижу эту даму.

Толстяк, проявляя завидную расторопность, смахнул деньги со стола и поспешно рассовал их по карманам.

— Эта дама, наверное, вам очень дорога, господин.

— Послушай, ты бы поменьше спрашивал да побыстрее провел бы меня к ней.

— Пойдемте за мной!

Толстяк, тяжело пыхтя при каждом шаге, заторопился по коридору. Спуск по лестнице представлялся для него настоящим испытанием. При этом он болезненно кривился и покрывался испариной, как будто бы не спускался, а, наоборот, преодолевал немыслимую кручу.

— Побыстрее, побыстрее! — поторапливал Франц.

Толстяк наконец преодолел последнюю ступень и оказался у входной двери.

— Где же твой экипаж? — в сердцах воскликнул Лефорт, шагнув на улицу.

Он не переставал думать о том, какую невероятную историю расскажет Питеру, ему все-таки удастся разыскать неуловимую графиню.

Толстяк объявил:

— За углом.

— Пошевеливайся! — Генерал стремительно шагал по брусчатой мостовой.

— Господин, — попридержал толстяк Лефорта

под локоть, — вы бы не бежали так быстро, а то я просто не успеваю за вами.

— Добавлю тебе еще пару талеров, только ты давай растряси свой жирок!

Из-за угла навстречу Лефорту вышли два человека, одетые в неброские камзолы. Не признавая во Франце знатного вельможу, они двигались прямо на него и не желали уступать дорогу.

В другое время Лефорт непременно пощекотал бы наглецов шпагой, но сейчас следовало спешить и не тратить время на препирательство. Лефорт пропустил простолюдинов, но неожиданно толстяк с силой толкнул его прямо на проходящих мужчин. В плечи генерала вцепились две пары рук. Перед собой он увидел небритое лицо, заросшее серой щетиной. Тонкие губы растянулись в щербатой улыбке, а затем кто-то, подошедший сзади, сильно ударил Лефорта по затылку.

Склонившись над упавшим Лефортом, толстяк довольно протянул:

— Крепко ты его. Не помер?

— Не помер, — убежденно протянул верзила. — Вон как губы скривились.

— А теперь давай в карету его. Неровен час, увидит кто.

Беспомощного Лефорта подхватили под руки и, поднатужившись, запихали в подъехавший экипаж.

Следом, с трудом преодолевая крутые ступени, поднялся толстяк. Кроме него, в карете находилась еще женщина, спрятавшая лицо за большой шляпой, и мужчина в дорогом камзоле.

— Графиня, посмотрите внимательно, это он? — нетерпеливо спросил дворянин, повернувшись к молодой женщине.

Слегка наклонившись, графиня Корф некоторое время всматривалась в лицо генерала Лефорта. Ее губы на мгновение дрогнули, отражая сострадание, а затем она уверенно произнесла, глядя прямо в глаза дворянину в плаще:

— Да, это Петр.

— Очень рад это услышать, — облегченно вздохнул он. — Теперь будет, что доложить королю.

— Я вам больше не нужна?

— Вы провели прекрасную работу, графиня, можете идти. Король будет вами доволен.

— Надеюсь, мы больше никогда с вами не встретимся.

— Теперь вы богаты и можете распоряжаться своей жизнью по собственному усмотрению. Что передать Карлу?

Взгляд женщины на какое-то время застыл. После чего ее губы сложились в болезненную гримасу:

— Передайте ему, что я его... ненавижу!

Не дожидаясь ответа, она хлопнула дверцей.

Понукая лошадей, кучер встряхнул вожжами:

— Пошла!

Карета, выбивая колесами рваную дробь по булыжной мостовой, уносилась дальше по темной улице. Проводив взглядом удаляющуюся карету, графиня улыбнулась каким-то своим мыслям и направилась в сторону гостиницы.

* * *

В гостях у Августа Петр Алексеевич пробыл три дня. За это время он сумел познакомиться не только с кухней польского короля, но и с его романтическими предпочтениями. И уже на второй час беседы предлагал ему в качестве развлечения молодую баронессу с непривычным для русского слуха именем — Изабелла, при этом добавив, что они не смогут считаться братьями до тех самых пор, пока не поменяются возлюбленными.

В обмен на молодую красавицу Петр Алексеевич предложил польскому королю девку, прибившуюся к обозу под Смоленском. Август только одобрительно защелкал языком, но ему было совершенно невдомек, что таким образом он породнился не только с русским царем, но и с доброй половиной всех обозников.

Союзнический договор против Швеции они закрепили тем, что обменялись камзолами, шляпами и шпагами, и челядь, сопровождавшая их, едва сдерживала приступы смеха.

Польский король в камзоле Петра больше напоминал мелкого дворянина, отправившегося на чужбину за лучшей долей. Зато Петр Алексеевич, редко надевавший парадные камзолы, выглядел настоящим франтом.

Так и расстались, обещав вскоре встретиться.

* * *

Петр Алексеевич долго не мог отсмеяться, вспоминая польского короля в нелепом камзоле захудалого дворянина. Обмен камзолами представлялся ему весьма удачной сделкой.

Веселье закончилось в ту минуту, когда к карете, даже не пытаясь спрятать огорчение, подошел Меншиков.

— Что случилось? — спросил государь, предчувствуя самое худое.

— Государь... Петр Алексеевич, — проронил упавшим голосом Меншиков, не в силах посмотреть царю в лицо.

— Да не тяни ты, ирод!

— Франц Лефорт помер.

Алексашка Меншиков ожидал, что государь обрушит на него свой гнев. Не желая уходить, только прикрыл глаза.

— Как помер?! — ахнул государь, побелев.

Открыв глаза, отвечал убито:

— Вот так и помер, даже непонятно с чего. Не то с перепоя, не то время помирать пришло. Пора бы пробуждаться, а его нет. В комнату заглянули, а он на кровати лежит, распластавшись.

Государь долго молчал, с трудом сдерживая рыдания. Потом произнес тихим, не свойственным ему голосом:

— Посмотреть хочу... И еще вот что, лекаря пригласите, пусть посмотрит.

* * *

В комнате Франца Лефорта государь был уже через полчаса. Увидев бездыханного любимца, не справляясь с навалившимся на него горем, зарыдал навзрыд. Челядь виновато жалась в дверях. Государь не походил на себя прежнего. Сейчас они созерцали всего-то оболочку от того властителя, каким он был всего лишь несколько дней назад.

— Подите прочь! — сверкнул очами Петр Алексеевич, повернувшись к порогу.

Дверь мгновенно захлопнулась. Челядь облегченно вздохнула, крестясь. Прежний государь, никуда не делся, затмение нашло. С кем не бывает после такого горя!

К холопам Петр Алексеевич вышел только через час. Спокойный. Собранный. Даже величественный в своем безутешном горе. На былую слабость указывали только покрасневшие глаза.

— Лекаря привели? — сурово спросил царь.

— Здесь я, Питер, — вышел вперед лекарь Иоганн Гордон.

Эскулап был из пруссаков, но уже более двадцати лет проживал в Немецкой слободе, а потому весь двор принимал его за своего, называя Иван Иванович. Он являлся единственным человеком во всем царстве, кому Петр Алексеевич доверял свое здоровье, поэтому взял с собой в Великое посольство.

— Что случилось с Францем?

Лекарь подошел поближе к покойнику. Слегка приподняв голову, долго рассматривал, после чего развел руками:

— Не своей смертью помер.

— Как так?!

— Задушен, Питер! Вот и на шее след от веревки остался. Если поискать, так, может, где-то здесь и веревка отыщется. — Покрутив головой, показал взглядом на шелковый шнур, лежащий на подоконнике. — Рана на затылке тоже имеется. Правда, не смертельная. Я так думаю, ему дали по голове, а когда он лежал без сознания, так и придушили.

— Вот оно как... Значит, так решили меня достать! Вот что! — произнес Петр после некоторого раздумья. — То, что слышали, забудьте! Обидчиков я все равно достану, никуда они теперь от меня не денутся. А про Франца Лефорта скажем... Простыл в дороге, вот и помер. Кажется, у Франца сын был?

— Да, государь, — живо отвечал Меншиков. — В Женеве проживает, Анри кличут.

— Вот ты этим и займись, Алексашка, — наказал Петр Алексеевич. — Вызовем этого Анри из Женевы, пусть при моей персоне будет.

— Тут ко мне уже подходили, государь. Долг у Лефорта большой. Шесть тысяч рублей.

— Выплачу из казны, — пообещал государь.

— Государь Петр Алексеевич, тут тебе письмо передали, — произнес Меншиков. И предупреждая уже нарождающееся гнев, добавил поспешно: — Срочное!

— Кто передал?

— Девица какая-то... Себя называть не пожелала.

— Давай сюда.

Взяв письмо, Петр Алексеевич небрежно надорвал ленту и принялся читать: «Милый мой Питер! Знаю, что ты искал меня всюду. Ты даже не представляешь, как бы мне хотелось тебя увидеть, как мне хочется прижаться к твоей груди. Я очень виновата перед тобой, прости меня, если сможешь. А более не ищи! Твой ангел-хранитель графиня Луиза Корф».

Сложив аккуратно письмо вчетверо, царь сунул его в карман. Бережно получилось, будто бы птаху из силков вытаскивал.

— Теперь в дорогу, господа. Кончилось наше посольство, в Москву надобно отъезжать. Уму-разуму учить.

Литературно-художественное издание

Евгений Сухов

УБИТЬ ПЕТРА ВЕЛИКОГО

Ответственный редактор *А. Дышев*
Редактор *И. Матюшкин*
Художественный редактор *А. Марычев*
Технический редактор *Н. Носова*
Компьютерная верстка *Г. Павлова*
Корректор *Е. Самолетова*

В оформлении переплета использована иллюстрация *В. Нартова*

ООО «Издательство «Эксмо»
127299, Москва, ул. Клары Цеткин, д. 18/5. Тел. 411-68-86, 956-39-21.
Home page: **www.eksmo.ru**   E-mail: **info@eksmo.ru**

Подписано в печать 25.04.2008.
Формат 84×108 ¹/₃₂. Гарнитура «Таймс». Печать офсетная.
Бумага тип. Усл. печ. л. 16,8.
Тираж 18 000 экз. Заказ № 4802284

Отпечатано в ОАО «Нижполиграф»
603006, Нижний Новгород, ул. Варварская, 32.

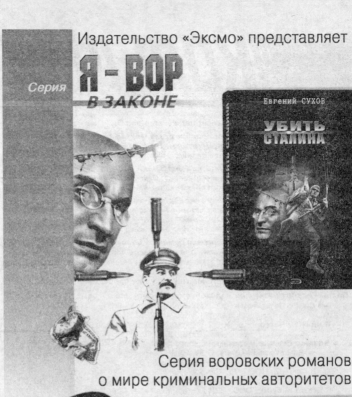

АЛЕКСАНДРА МАРИНИНА

Новая книга мастера